三字經的故事

三字經是
文化傳統之縮影
民族歷史之寫實
幼學啟蒙之瓊宮
聖學養德之引門

本書立確尋圓
生存找成
命在人
的的生
原價理
引導可
點值想

音注語國 · 圖插彩全

前言

當一個人知道自己在作選擇，而且曉得為什麼要作選擇時，「意義」就出現在此一選擇的過程中。這也等於指出了人需要有價值觀，而價值觀主要是根據傳統而來的。傳統乃是人類從長時間的經驗累積而發現的合乎生存所需的法則，遺忘了傳統，無異於遺忘了根源及其價值觀。

學習傳統可以令人知道自己從那裏來，才知道人生要做什麼選擇，才能符合真實自我最親切的要求。如果光只學習現在的經驗或橫的移植現成的知識，終將因其缺少深遠的鑒前慮後，無從內化蘊釀適存的生機，就難免因其有限、複雜、矛盾，或變動太大無從整合而導致混亂，甚至完全落空。

傳統是活生生的整體，更是不朽的價值寶庫，可以幫助人擺脫自我中心及主觀的侷限，由此化解自我的私心，進能超越自我而實現真

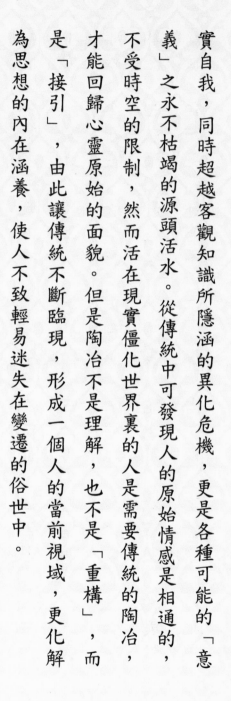

實自我，同時超越客觀知識所隱涵的異化危機，更是各種可能的「意義」之永不枯竭的源頭活水。從傳統中可發現人的原始情感是相通的，不受時空的限制，然而活在現實僵化世界裏的人是需要傳統的陶冶，才能回歸心靈原始的面貌。但是陶冶不是理解，也不是「重構」，而是「接引」，由此讓傳統不斷臨現，形成一個人的當前視域，更化解為思想的內在涵養，使人不致輕易迷失在變遷的俗世中。

三字經是中國傳統的縮影，開展傳統之旅的引門，是幼兒養性上銜童蒙養正，趣入聖學之流的階梯。讀經讓我們從學習傳統中，使自己也成為傳統的一個因子，承先啟後的隨著自然生命的進展，也能夠建構無限富豐的價值生命。倘此，則奮發上進的意念必將源源不絕，人生境界亦將層層創新。這才是人生應行之道！

二〇〇〇年庚辰仲春慚愧不慧 吳重德 敬識

三字經

經文

人之初　性本善　性相近　習相遠

苟不教　性乃遷　教之道　貴以專

昔孟母　擇鄰處　子不學　斷機杼

竇燕山　有義方　教五子　名俱揚

養不教　父之過　教不嚴　師之惰

子不學　非所宜　幼不學　老何為

玉不琢　不成器　人不學　不知義

為人子　方少時　親師友　習禮儀

香九齡　能溫席　孝於親　所當執

融四歲　能讓梨　弟於長　宜先知

首孝弟　次見聞　知某數　識某文

一而十　十而百　百而千　千而萬

三才者　天地人　三光者　日月星

三綱者　君臣義　父子親　夫婦順

曰春夏　曰秋冬　此四時　運不窮

曰南北　曰西東　此四方　應乎中

曰水火　木金土　此五行　本乎數

曰仁義　禮智信　此五常　不容紊

稻粱菽　麥黍稷　此六穀　人所食

馬牛羊　雞犬豕　此六畜　人所飼

曰喜怒　曰哀懼　愛惡欲　七情具

匏土革　木石金　絲與竹　乃八音

高曾祖　父而身　身而子　子而孫

自子孫　至玄曾　乃九族　人之倫

三字經　經文

父子恩　夫婦從　兄則友　弟則恭　長幼序　友與朋　君則敬　臣則忠

此十義　人所同　凡訓蒙　須講究　詳訓詁　明句讀　為學者　必有初

小學終　至四書　論語者　二十篇　群弟子　記善言　孟子者　七篇止

講道德　說仁義　作中庸　子思筆　中不偏　庸不易　作大學　乃曾子

自修齊　至平治　孝經通　四書熟　如六經　始可讀　詩書易　禮春秋

號六經　當講求　有連山　有歸藏　有周易　三易詳　有典謨　有訓誥

有誓命　書之奧　我周公　作周禮　著六官　存治體　大小戴　註禮記

述聖言　禮樂備　曰國風　曰雅頌　號四詩　當諷詠　詩既亡　春秋作

寓褒貶　別善惡　三傳者　有公羊　有左氏　有穀梁　經既明　方讀子

撮其要　記其事　五子者　有荀揚　文中子　及老莊　經子通　讀諸史

考世系　知終始　自羲農　至黃帝　號三皇　居上世　唐有虞　號二帝

相揖遜　稱盛世　夏有禹　商有湯　周文武　稱三王　夏傳子　家天下

三字經　經文

四百載　遷夏社
湯伐夏　國號商
六百載　至紂亡
周武王　始誅紂
八百載　最長久
周轍東　王綱墜
逞干戈　尚游說
始春秋　終戰國
五霸強　七雄出
嬴秦氏　始兼并
傳二世　楚漢爭
高祖興　漢業建
至孝平　王莽篡
光武興　為東漢
四百年　終於獻
魏蜀吳　爭漢鼎
號三國　迄兩晉
宋齊繼　梁陳承
為南朝　都金陵
北元魏　分東西
宇文周　與高齊
迨至隋　一土宇
不再傳　失統緒
唐高祖　起義師
除隋亂　創國基
二十傳　三百載
梁滅之　國乃改
梁唐晉　及漢周
稱五代　皆有由
炎宋興　受周禪
十八傳　南北混
遼與金　皆稱帝
元滅金　絕宋世
輿圖廣　超前代
九十年　國祚廢
太祖興　國大明
號洪武　都金陵
迨成祖　遷燕京
十六世　至崇禎
閹禍後　寇內訌
闖逆變　神器終
載治亂　知興衰
讀史者　考實錄
通古今　若親目
口而誦　心而惟
朝於斯　夕於斯
昔仲尼　師項橐

三字經　經文

古聖賢　尚勤學
趙中令　讀魯論
彼既仕　學且勤
披蒲編　削竹簡
彼無書　且知勉
頭懸梁　錐刺股
彼不教　自勤苦
如囊螢　如映雪
家雖貧　學不輟
如負薪　如掛角
身雖勞　猶苦卓
蘇老泉　二十七
始發憤　讀書籍
彼既老　猶悔遲
爾小生　宜早思
若梁灝　八十二
對大廷　魁多士
彼既成　眾稱異
爾小生　宜立志
瑩八歲　能詠詩
泌七歲　能賦碁
彼穎悟　人稱奇
爾幼學　當效之
蔡文姬　能辨琴
謝道韞　能詠吟
彼女子　且聰敏
爾男子　當自警
唐劉晏　方七歲
舉神童　作正字
彼雖幼　身已仕
爾幼學　勉而致
有為者　亦若是
犬守夜　雞司晨
苟不學　曷為人
蠶吐絲　蜂釀蜜
人不學　不如物
幼而學　壯而行
上致君　下澤民
揚名聲　顯父母
光於前　裕於後
人遺子　金滿籝
我教子　惟一經
勤有功　嬉無益
戒之哉　宜勉力

教育

教育的本質是在啟發人類內在心性本具無限潛能的自覺。

因此，教育的現象正是心意與心意的交融，將親子、師生之間彼此的心意流入彼此的心中，從此搭起真意的、善意的，關愛的橋樑，這就是教育現象的開始，是每個人人生中的超越自我，「價值」生命由此蘊含，「永恆」真諦由此萌芽，優美的人格就在這從小我漸長為大我的過程中奠定，從此覺醒：在整個生命共同體中，每一個人都可以成為更豐富價值的主體。

人之初　性本善
性相近　習相遠
苟不教　性乃遷
教之道　貴以專

教育的作用就是在實現本具的自覺，提昇人人所可能完成的無限價值。自覺是與生俱來、不需要教就會的良知良能，能將「我」的價值不斷向上的提昇，從發現我能夠到理解我應該，再決定我必須，最後臻入超然無我的大我——「做」當下就是人生。如此從心意交融內化（彼此體驗彼此的心意）的過程中，才

深深體驗了彼此獨特的價值，進能活出從肯定生命存在的價值，擴充為欣賞，終能分享一切存在價值的智慧生命（不同於外化的知識生命）。價值因需要而存在，能體認價值就是智慧，實現價值才有意義。

心意交融的對象越廣，價值生命就越廣；心意交融的程度越深，智慧生命就越豐富。

什麼時候是教育的適當時機？就是現在，現在時時都在進行中。不分老少，不分你我，只要是能肯定生命存在本具無限價值與符合共同生命總體親切要求的，都已成為教育與受教的主體。

總之，教育是心的作用，理解一切行為都是心的表徵後，如何以心

應心，用心攝心，正是實行的重點與成敗的關鍵。在啟發自覺的力量後，奇妙的心才真正的看到自己，真實生命才真正開展，心境中的真善美聖才逐漸顯現，這時才知道原來「心」是何等的不可思議，心的容量是何等的偉大！

人心的自覺力量能與宇宙萬物感通，而且能理解彼此的內心所嚮往與所渴望去完成的願望，還能肯定生命總體的存在價值（例如孝悌忠信等符合人性內心深處最親切要求的道德感），和人與人之間的親密關係，在必要時化為有力的行動，改善人間的困境。這不僅代表一個人真正的自我實現，也會帶給自己持久而深刻的喜悅。不要再荒廢了這個人人內在本具的無盡寶藏，讓有緣的我們來互相關懷與讚美、互相學習與成就吧！有了如此的理解與體認，再讀本書時，自然會有更深更廣的意趣。本書的開頭：「人之初，性本善。」就是非常雋

永的啟示，它肯定了人人本具的自覺潛能，也迪發了人性深處最親切的關懷──善──所有符合人心深處最根本的要求之總稱。（例如父慈子孝、兄友

弟恭、友信誠義等皆是善的別相）因為人性本善，當心在選擇時，是以善為價值依據，符合「善」的期許就是有價值的，所以自覺本能知道「如何」去作是有價值的，但它並不知道「為何」如此作是有價值的。

「性相近，習相遠。」就是肯定人的自覺潛能可從教學的過程中，得到無限的開發，而開發的結果是習，是經年累月慢

慢去實現的。簡言之，教學就是啟蒙覺性的最有效方法，它可將自覺本能所知道的「如何」，提昇為「為何」，再將體認化為力量，從覺知能夠作、應該作、必須作，到變為行動的作，這時才顯現價值，在完成的過程裏，才找到意義到。

「苟不教，性乃遷。」

當然，覺性若未得到適切的啟發，就很有可能迷失於外化不實的現象界裏，這就是知識生命（物質生命）有別於智慧生命（價值生命），缺少內在體驗之無限生機的最大原因吧！

「教之道，貴以專。」這是指用心顯

覺而言，人乃心之器，心
者人之大用也。相以盡
意，得意則相忘；
言以詮理，入理
則言息；此等
皆是明心之
妙用。
而心

之所以有如此無限的潛能，乃在於心能向
內深深體驗，這正是心性本具的內化潛能
，也是人類不被物化外蝕的根本自覺（又
稱內力）。當心有力量，自能消融一切外
境的困頓，進能將其轉化為成長的動力，
這就是心性能超越自我，化小我為大我，
趣入永恆價值的生命的原因。總之，教育
的密訣，就是在啟發這個人人平等本具而
非向外求來的蘊藏著無限可能的自覺（心
性），如能深信此理，學之以恆，誨之以
誠，活到老而學到老，終身教學相長，則
無事不成，人人可聖，豐美的生命意境
可達，無限的生命實相可賞。以下所
介紹的故事，就是要證明正確教育
理念的功效。

經文

舉出歷史上有名的一位賢母和一位賢父，他們都很懂得教育的方法，因此都教出好兒子來。

第一段是說孟母三遷的故事。從前有位孟母姓仇，戰國鄒人，丈夫早死，跟兒子孟軻相依為命，孟母以紡紗織布維生。

孟子年幼的時候，住在鳧村，靠近墳場，孟子看見出殯、埋葬及祭拜的情形之後，就常跟小朋友玩埋葬死人的遊戲，還學孝男痛哭的樣子。孟母認為這樣太不妥當了，就搬到廟戶營村，營村有市場，孟子又仿效屠戶殺豬做買賣。孟母看見孩子殺生，心中更加擔心，於是再遷往鄒城，孟子天天以演練讀書或禮儀為樂，孟母這才安心定居下來。以上是孟母「擇鄰處」的過程。

昔孟母　擇鄰處　子不學　斷機杼

由這個故事可以知道，小孩子的心性是無限開放的，不會分辨好壞，只一味的學習，而且學習能力又非常的強，因此，

從小父母就要替孩子選擇良好的學習環境，才能啟發學習的潛能。至於孟母則是一位有見識的婦人，為了教子，不惜搬三次家，她並不富裕，可是她深知教育的原理，因此再苦也要選擇好環境給孩子，真是一位有遠見的偉大母親。

孟子略長，孟母送他入學，剛開始，

孟子還懂得用功，後來漸漸貪玩，有一天，竟然逃學回家，孟母此時正在機房織布，

一看見他逃學回來，就拿起剪刀把杼上的線剪斷，孟子很惶恐，跪著問母親為何要如此，孟母責備他說：「讀書就跟織布一樣，積絲才能成寸，積寸才能成尺、成丈、成疋，才能成為有用的東西。而你求學更是要每日每月每年不斷的用功，才能進步，如今你懶惰逃學，就是自己放棄自己，我斷機杼也跟你一

樣啊！」孟子聽了覺得很慚愧，就回到學校，發憤用功讀書，早晚努力，最後成為大儒，我們尊稱他為「亞聖」，這都是孟母教子的功勞。

接下來

介紹一位善教子女的父親。竇燕山用合乎義理的方法，教導他的五個兒子，成為正人君子，五個都考上進士，因而把父母親的名聲顯揚開來，傳名於後世。

現在我們就來說一說竇燕山是如何教子的，這是一個因果報應的故事。

竇禹鈞他是北京幽州人，因為那個地方正是古代的燕國，所以人們稱他竇燕山，他是五代後晉時人，家裡非常富有，可是他為人心術不正，專門用大斗量入，小秤量出，用欺騙的方法來賺

竇燕山　有義方　教五子　名俱揚

錢，而且欺壓貧窮，喪盡天良，所以一直到了三十歲，仍然沒有兒子。

有一天晚上，他夢見已去世的父親對他說：「你的父親心術不正，德行不端，壞名聲已經傳到天庭上來了。你要趕

不但不會有兒子，而且還會短命。你

快改過遷善，多積陰德，多幫助人，或許還有挽救的餘地。」竇先生醒來，把夢中父親所說的話，一一謹記在心，以前做的惡事再也不敢做了。

有一天，他在客店中，撿到一袋銀子，他就在那兒等了一天，等失主回來找的時候，原封不動的退還失主，從此去掉了貪心的毛病。

後來，地方上的窮苦人家，有女兒而沒能力出嫁的，他就送錢給他們買嫁妝，以便嫁人。有兒子沒辦法娶妻的，他就出錢替他們完婚。又在自己家裡設立「義館」，聘請高明的老師來教書，讓貧窮沒辦法讀書的孩

子，都可以來上學，而且還給他們獎學金。他普遍的幫助貧寒的人，自己卻不肯亂花一分錢，做得到的善事無不盡力去做。

有一天晚上，又夢見父親對他說：「你現在所積的陰德很大，美好的名聲已經傳到天庭，以後你會有五個兒子一起考上進士，你的壽命也會增加到八、九十歲。」竇先生醒過來，知道只是一場夢，但從此更加認真修養自己

，多行善事，果然生了五個兒子，娶的媳婦也很賢慧，家庭裡面很有規矩，男的認真讀書，女的勤於紡織，非常和睦，都是孝子賢媳，成為人人羨慕的好家庭。

由這個故事可以知道，只要改過遷善，仍然可以改變一切。竇先生由於多積陰德，因此招感好孩子自然良善、端正，因此，想要有好孩子，竇先生正是個好榜樣。

經文

意思是說生養孩子，如果只是

養不教
父之過
教不嚴
師之惰

叫小明，他本來是個好孩子，他在學校看見同學有一個漂亮的硯台，次，他有一，但有

給他吃，給他穿，而沒有教育他，這是父母的過失。孩子上學後，老師如果不嚴格督促管教，就是犯了懶惰的過失。這兩句經文是告訴我們，要教好孩子，必須父母與老師雙方配合，加強家庭和學校教育，共同努力，才能培育出優秀的孩子，父母和老師雙方都要盡責任，缺一不可。

為了讓各位小朋友更容易明白「養不教，父之過」的意思，現在就來講一個故事：以前有一個小孩子，名

於是偷偷的佔為己有，拿回家去，母親看見了，問他硯台那裡來的，他說是向同學

拿的，母親聽了，不但不責備，反而誇獎他技術高明，偷了東西卻沒有讓人發現，還教他下一次再拿。小明不知道這樣做是不對的，加上受了母親的鼓勵，就大膽的偷了起來，剛開始只是拿一些小東西，慢慢長大後，他就去搶

官庫，後來失風被捕，他才知道偷東西是不對的。當他被判重刑的時候，心裡非常怨恨，恨父母親沒有教他辨別是非，後來母親來探監，他藉口要對母親說悄悄話，竟把母親的耳朵咬了下來，母親痛得很，問他：「我對你那麼好，你為什麼這樣對

我？」小

明說：「你愛我的方

法不對，變成了溺愛，使我不明是非善惡

，如今害我落到這種下場，都是您沒有教

我的結果。」母親聽了，覺得很慚愧，由

於自己的無知，害了親生兒子，心裡難過

極了，可是後悔已經太晚。

由這個故事，我們可以知道，家庭是

人生中的第一所學校，父母是孩子一生中

最重要的導師，孩子是必須教育才會成材

，不教而使他變成不良少年，父母要負大

半的責任。所以愛孩子的正確方法，就是

教育他，引導他走正路，使他成為正人君

子。

孩子到了六、七歲，一定要送他去讀

書，

學習

禮儀。

古人說：「欲高門第

須為善，要好

兒孫必讀書。

富不讀書，縱

有黃金，身不

貴。貧能守己

，雖無榮耀，也

增光。」可見讀

書懂道理是很重

要的，但是如果老師不認真教學，就是犯了怠惰的罪過。

古人說：「老師是增長學生慧命的，如果沒有盡心盡力教導學生，就是斷學生的慧命，這種罪過很大，死後一定下十九層地獄。」這一番話可作為天下老師們的警誡。

我們在歷史故事中，也曾看過不少認真教學，造就不少人才，而自己的兒子也接連考中進士的事例。相反的，不認真教書的老師，他的兒子也少有成就，這都是因果報應，身為老師的人，不可不謹慎啊！

上面四句經文，主要是想造成一種「內有賢父兄，外有賢師友」的好環境，像這樣如果子弟還不成才，那幾乎是不可能的。

前面

說到「養不教，父之過，教不嚴，師之惰。」就是要父母注意家庭教育，而老師也要認真負責的指導學生，那麼為人子女、學生的，又該怎樣呢？

「子不學，非所宜。」

為人子者，如果在父已教，師已嚴的好環境下，卻不專心求學，是非常不應該的。

因為不求學，必然癡蠢愚庸，在家庭裡，事奉雙親或兄長，不知道孝順和友愛的道理。出門在外與朋友交往，也不知道該如何待人處世，以致得罪人，令人嫌厭。相

嚴，師之惰。」

反的，如果肯求學，就可以由書本中記取古代聖賢的訓示，再加上師長的親自指導，能使我們更懂事理，不容易犯錯，結交更多志同道合的好朋友，互相勉勵進德修業，另一方面也可以把所學的知識，讓人類的生活更美滿幸福，用來服務人群，這一切都有賴求學而來。「幼不學，老

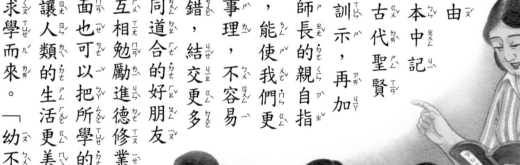

子不學

非所宜

幼不學

老何為

何為。」年幼的時候，如果不學，到了老年，又能有什麼作為呢？要知道，讀書貴在年少，因為這時身體壯，精力足，記憶力好，學習能力也強，如果這時不努力向學，沒有成就，怎能服務人群呢？更別說要光前裕後，丕振德風了。

古人常用一副聯來警惕自己要勤學，這副聯是「好讀書不好讀書，好讀書不好讀書。」上下兩聯的字完全一樣，但讀音不同，意思就完全不同了。上聯是指少年時期，有許多正適合讀書的好條件，可惜不喜歡讀書。下聯是說到了中年以後，由於人生的經驗增多，知道知識的重要，一直想辦法要多學一點，因此非常喜歡讀書，可惜，年紀一大，老眼昏花，字看不清楚，坐下來讀書，一會兒就腰酸背痛，叫他開夜車，更沒那種體力了，在在都顯示讀起書來非常吃力，可是那種好學的精神卻令人欽佩不已。因此我們常可以聽到老年人慨嘆的說：「少小不努力，老大徒傷悲。」老年人以他們的經驗告訴我們，少小不努力的悲

哀，我們就不該輕輕聽過，以致重蹈覆轍，待老來還是發出同樣的慨嘆，那是多麼的可悲啊！各位同學，誰要是能真正相信古聖先賢的話語，並且牢記在心，才是真正聰明的人，他絕對可以少受許多冤枉罪的。

古人有一首詩：「三更燈火五更雞，正是男兒立志時，黑髮不知勤學早，白頭方悔讀書遲。」古代的男子立下為國為民服務的遠大志向之後，就日夜苦讀，遲遲睡，早早起。如果黑髮的少年時代不知早點勤學，到了老年白了頭，就會後悔讀書太晚了。我們珍惜生命最好的方法，就是少作後悔的事，如何減少後悔？就是要多聽、多看，並且接受古聖先賢的經驗談，這些經驗談都是相當寶貴的，照著做，可以少走冤枉路。

各位同學，你們年紀都還小，正是讀書的好時光，不該貪玩，要知道，「日月如梭，光陰不再。」光陰就像流水般一逝不回頭，如果不及早努力，長大之後，後悔就來不及了。

說到

為人子者，必須從小就求學，為什麼要求學呢？這裡就先舉了一個例子：

「玉不琢，不成器。」玉石如果不加以琢磨，就沒有辦法成為有用的器具。我們知道古人常常用玉來做成各種裝飾品或器皿，這些我們可以在臺北的故宮博物院中觀賞到。當我們看到一件光滑溫潤的玉器時，無不讚歡它的冰清玉潔與雕工的精細，但是可曾想過，一件精巧的玉器實在是得來不易啊！

「玉」本來是以石頭的狀態存在於深山中，我們稱作玉石，它並不是一挖出來就是一塊美玉的，我們由「和氏璧」的歷史故事可以知道：一塊玉石若不是稍具眼力的人是看不出來的。玉，它包在璞當中，要先切開，再把旁邊的廢石磋掉，這時玉質現出來了，但玉面還不平整，仍然很難看，這時玉工就著玉的形狀和顏色，決定要做什麼東西，才琢成所需要的樣式，完成

玉不琢　不成器　人不學　不知義

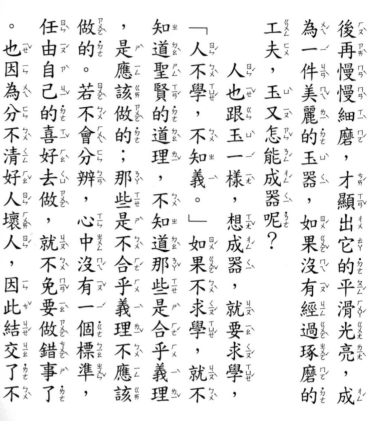

後再慢慢細磨，才顯出它的平滑光亮，成為一件美麗的玉器，如果沒有經過琢磨的工夫，玉又怎能成器呢？

人也跟玉一樣，想成器，就要求學，「人不學，不知義。」如果不求學，就不知道聖賢的道理，不知道那些是合乎義理，那些是不合乎義理不應該做的。若不會分辨，心中沒有一個標準，是應該做的；那些是不合乎義理不應該做的。若不會分辨，心中沒有一個標準，任由自己的喜好去做，就不免要做錯事了。也因為分不清好人壞人，因此結交了不良的朋友，自己也受到熏染，最後結黨結派，危害社會，情形就更加嚴重了。這就是不求學，不明義理的後果。

我們要知道，有些事情本來是好事，但因為辦的人是對的，因為辦的人不同，而造成不同，而造

成不同的結果，這是因為每個人的想法、觀念不同所致，而這些差異的產生，就是因求學或不求學而來。就求學而言，求的是什麼學，也各有不同，有的是求名利之學，有的則是求聖賢之學，而兩者之間的差別，何止是千萬而已！

現在，我們就舉二十四孝中「為母埋兒」的故事來說明「不知義」的危險性；

漢朝時候有一個叫郭巨的人，家裡非常的窮困，生有一個兒子，年紀剛只有三歲，郭巨的母親非常疼他，因此常常把郭巨奉養的食物，省下一些給孫子吃。郭巨看母親這樣，就暗中和妻子商量說：「我們家很窮，奉養母親的東西本來就很少了，現在兒子又分掉了母親的食物，不如把

孩子埋了吧！」妻子雖然疼孩子，但是為了孝順也只好答應了。

於是偷偷地把兒子抱出去，拿起鋤頭向地下挖坑，沒想到挖到三尺深

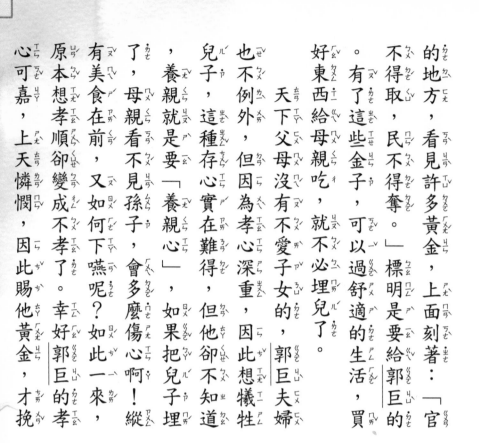

的地方，看見許多黃金，上面刻著：「官不得取，民不得奪。」標明是要給郭巨的。有了這些金子，可以過舒適的生活，買好東西給母親吃，就不必埋兒了。

天下父母沒有不愛子女的，郭巨夫婦也不例外，但因為孝心深重，因此想犧牲兒子，這種存心實在難得，但他卻不知道，養親就是要「養親心」，如果把兒子埋了，母親看不見孫子，會多麼傷心啊！縱有美食在前，又如何下嚥呢？如此一來，原本想孝順卻變成不孝了。幸好郭巨的孝心可嘉，上天憐憫，因此賜他黃金，才挽

回錯誤，要不然後果就不堪設想了。由以上這個故事我們知道，郭巨的孝心是對的，可是他不知道埋兒是不合乎義理的，因此差一點就鑄下大錯，這就是因為他沒有進一步去學聖賢道理的緣故。所以，小朋友千萬要認真求學，不然好事可能都會被你給辦壞了呢！

前面

說過「人不學，不知義」，既然要學，應該從什麼時候學起呢？「為人子，方少時」身為人子的，正當年少的時候就要學了。如何學？「親師友，習禮儀。」親近明師賢友，因為他們都是善知識，都可以助長我們的品德和學問，更可以由他們身上學到待人處世，應對進退的禮儀，所以要常親近。

「常禮舉要」（丑）在校篇第七章中說：「安其學而親其師，樂其友而信其道。」意思是說

為人子

方少時

親師友

習禮儀

與老師親近，學習老師的一言一行，功課上有疑問也要請教老師，不要和老師疏遠。

對於和你志同道合的同學，你要與他和樂相處，他的言行，合乎道義的話，你也要見賢思齊，而在學校要安心求學，心定在功課上，常，相互砥礪，並且對

且勉勵去做，這樣德學必定大進。

一個人如果只是在家關起門來讀書，不去請教老師，也不結交朋友，那麼見識一定不廣，閉門造車，覺性無從啟發，在學習效果上不但是事倍功半，還可能會徒勞無功呢！因此求學不可沒有師友來輔助。

古人對交朋友是非常重視的，曾有人說：要了解一個人，只要看他交的朋友就可以了。因為怎樣的人就交怎樣的朋友，所謂「物以類聚」。而孔子教我們交朋友要「無友不如己者。」如果我是以忠信為人處世，而對方卻不講求忠信，我就不和他做朋友。每個人擇友的標準可能不太一樣，現在就讀一個交友的故事：

漢朝的管寧和華歆本來是好朋友，常常在一起研究學問。有一天，他們正在讀書時，聽見外面鑼鼓喧天，管寧聽而不聞，仍然用功讀書，而華歆就忍不住跑到外面去看，原來是新官上任正在遊街，華歆流露出很羨慕的

表情，管寧見他如此，就用刀子把二人同坐的席子割成兩半，華歆問他何以要如此做？管寧說：「我讀書的目的，是為求明白道理以便修身，而你卻貪戀名利，你和我志不同道不合，不適合做朋友。」華歆說：「我知錯了，讓我們和好如初吧！」又有一次，二人同在田裡鋤地，管寧鋤到一塊金子，把它視同泥土一樣丟在一旁不去理會，但華歆就高喊：「金子哪！這是一塊金子哪！」由此可知，他們二人的心志是多麼不同。

從此管寧就決定不再和華歆往來，準備到另一個地方去讀書，臨走前仍然勸華歆，不要太重視這些外在的浮名虛利，但

華歆終究不聽，最後當了賊官被殺。而管寧避難到遼東，用仁德教化當地百姓，使得人人和睦相處，大家都非常崇敬愛戴他，遼東地方也儼然成為世外桃源。

如果我們也能親近像管寧這樣的人，必定受益匪淺，因為可以跟著他「習禮儀

」，學習禮儀節度，孔子說：「不學禮，無以立。」如果不學禮，就無法立足於社會。因為不懂禮，處處說錯話、做錯事，

惹人討厭。相反的，如果懂得禮節，一言一行合乎節度，表現出來的，就是一個彬彬君子的樣子，大家樂意和你為友，並且尊敬你，也喜歡學你那謙恭有禮的態度。如果大家都懂禮，自然減去了許多無謂的爭端，社會將更加和樂，這是習禮儀的好處。

這是

一個講孝順的故事。黃香是東漢江夏地方的人，年僅九歲母的人，「所當執」所應該做的。他之所以能成為孝子，不外是處處替父母設想。

就知道侍奉雙親的道理。每當夏日炎熱的時候，他就用扇子搧父親的床舖，使枕席涼爽，並趕走蚊子，讓父親能夠安心地睡覺。到了冬天，氣候嚴寒，他先把床舖睡暖，再請父親去睡，好讓父親能睡得舒服，這就是黃香搧枕溫衾的事跡。他的孝行，傳播到京師，當時的人都稱揚他，而喊出了「天下無雙，江夏黃香。」的口號。

像黃香這種孝行，是任何一個孝順父

香九齡

能溫席

孝於親

所當執

夏天蚊子多，床舖太熱，父親一定睡不好，因此他把這些障礙先去掉。而冬天老人家身體不容易保暖，因此事

母的人，先把床睡暖，這些都是體貼

親心的表現。如果小朋友能時時刻刻想到父母，就不難成為一個孝順的人。

「百善孝為先」，孝是做人的基本條件，試想，母親為我們忍受十月懷胎之苦，對我們有三年哺育之恩，又教養我們，這其中所花費的心血不知有多少，父母不曾計較什麼，只是無條件的犧牲奉獻，如果我們還不知道孝順的話，不但不能稱之為人，更難以教化要求子女孝順。

我們應該怎樣孝順父母呢？二十四孝、三十六孝都是我們的模範。首先要做到晨昏定省，凡事替父母設想，以父母的心為心，並且修養自己，不做出有辱父母的事來。並且以己德顯揚父母，悅親榮門。

總之，孝以事心為上，事身次之，最下事身而不恤其心。

孔融

在小時候就應該要知道了。

弟子規裡面說：「兄弟睦，孝在中。」可見孝順的人一定友愛兄弟，能夠友愛兄弟的人，也一定懂得孝順，孝和弟是不可分的。論語中也說：「孝弟也者，其為仁之本與。」可見「弟」是很重要的，中國五倫社會，「弟」也是其中不可忽視的一環。

孔融是漢朝魯國人，是孔子的第三十二代子孫，四歲的時候，就懂得遜讓的禮

四歲的時候，就懂得讓大梨給兄長。這種恭敬長上的道理，

節。一天，有人送來一籃梨，哥哥把大梨都選去了，孔融

融四歲
能讓梨
弟於長
宜先知

在旁邊，從從容容的取了一個小梨，大家問他為何不取一個大的呢？他說：「哥哥年長，應該吃大的，我是弟

弟，年紀小，怎麼可以犯上呢？」

孔融那麼小，就懂得禮讓，實在很難得。

反觀現在，父母大多溺愛幼子，不管

是吃的或用的，往往都給小的多，給大的少，說這樣

是愛護弟弟，讓弟妹，而兄長認為這樣不

公平，就常常藉故欺負弟妹，以致種下手

足不和的禍根。因此父母在分東西的時候

，應該公平，而且運用技巧，使年幼的尊

敬兄姊，兄姊也愛護弟妹，這樣兄弟姊妹

和睦相處，一團和氣，不是很好嗎？

兄弟之間，要緊的就是「兄友弟恭

」，而孔融表現的就是弟恭。凡事應

該由自己先做起，要求自己先盡

到「弟道」，先關懷別人，

走出自我中心世界，其實

是讓我們得到更廣大

的世界。

孝弟

是心智成長的第一步，是超越自我的原本關懷，是體驗父母關愛後，將其轉化為自我成長動力的和諧的人際互動，是實現真實自我的最親切要求，是人生所有價值的基本，更是趣入價值生命的捷徑。「孝弟」是要去實行的，不是作作文章，或嘴巴說說就成了，實行的越徹底，就

越能發現自己本具無限的價值。

「次見聞」其次就是增廣見聞。

論語中說：「弟子入則孝，出則弟，謹而信，汎愛眾，而親仁，

行有餘力，則以學文。」弟子在家要孝順，出外要恭敬長上，做事謹慎，守信用，以愛心待人，要親近仁德的人，以上這些都是

識某文
知某數
次見聞
首孝弟

最重要的，其次才是求學。但現在有許多人把這兩件事顛倒過來，也就是讀書第一，其餘孝親事長、人情事故，一概不管也一概不知，成了真正的書呆子，如果是真呆子還好，就怕

喜歡要小聰明，結果自誤誤人。如果能以孝弟為本，再充實知識，這樣對於國家社會都是有助益的，古人說：「忠臣出於孝子之門。」既是忠臣必是孝子，才不致於像曹操、秦檜之流，雖然飽讀詩書，但是仁義道德一點也不懂，這都是只重學問不重品德的後果。

「知某數，識某文」，見聞的目的，就是要知道數字的變化以及了解古聖先賢的文章，藉著文章的薰陶，來進一步的修養自己。

下面

開始要說明數字的意義及數字與萬物的關係。

「一而十，十而百，百而千，千而萬。」

一是數字的起點，十是數字的終止，十個十就是一百。十個百是一千，十個千就是一萬，如此累積上去，可至無窮無盡。這四句經文，為的是讓我們了解「十進位」。

「三才者，天地人。」

「三」字依照八卦的乾卦是畫成三，上一畫代表天，覆蓋在上面，後一畫代表地，承載在下面，中間一畫代表人，表示人在天地之間，因此「三」這個字本身已包含了天、地、人的意義在內。

「才」當「才能」講，三種具有偉大才能的是天、地、人，他們的才能是：

「天道敏時」。天可使日月星辰運轉而不息，四季更替而不亂，萬物的生長才有個次序。

「地道敏樹」。地可使

天
地
人

三
才
者

千
而
萬

百
而
千

十
而
百

一
而
十

大地上的萬物依靠著它而蓬勃生長，如大地生長萬物，動物吃了植物才可以生存下去，動物拉下的大小便及死後腐爛的屍體，又可以變成植物的養分。

「人道敏政」，人是萬物之靈，要幫助天地化育萬物，使萬物得以有次序的在天地之間生存，這就要靠政治的力量。政者，正也；使一切都歸於正位，人和動物各過各的生活，互不相害，人必須如此，才可以稱之為人。

「上天有好生之德」，上天希望所有生物都能順其自然的生長，如果人類為了口腹之欲，而大量捕殺牲禽，違背天意，自然天災人禍就不斷降臨，因此趨吉避凶最好的方法，就是順從天意，戒殺放生，作個頂天立地的正人。

三種

光明的來源是日、月、星，也就是太陽、月亮、星星。

人類的大恩人，為了表示我們的恭敬，在朗朗乾坤下，又怎能做出違背天意良心的事情呢？

月亮又稱作太陰，代表陰柔，月亮是反射太陽的光，因此除了為我們遍灑柔和的光芒外

太陽的光我們是常領教的，例如在夏天晴朗的中午時分，站在太陽底下，眼睛被曬得都睜不上了，根本無法正視，可見太陽光有多強了。

科學家說太陽的表面是一連串不斷的原子爆炸，所產生的光和熱經過約一億五千萬公里，射到地球表面仍然如此強烈，普遍照射地球上所有生物，供給生長的能源。

如今科學也發展到使用太陽能來發電，太陽真是運用在更多有益人類的用途上。

三光者
日月星

並不會帶給我們太過強烈的刺激，月光有如慈母的懷抱一般溫柔可親。在廣漠無垠的天空，除了太陽和月亮外，還有數不清的小星星，像眨著眼睛般閃著熒光，它們都是離地球很遙遠的恆星，和太陽一樣會自己發光，有的比太陽還大，只是離我們太遠，因此看起來很小，光線也顯得微弱罷了。

我們把天空的星星，依照它們的位置，組成各種星座，可作為航海及迷路者的方向指南，而且還賦予它們一些神話，使它們變成人類親密的朋友。

「光」代表溫暖、光明、安全，日、月、星的光算是很強的了，可是能照射到的地方還是很有限。有一種光卻可照遍宇宙各個角落而沒有障礙，那就是「自性覺光」。為什麼我們的心光不覺而看不見宇宙人生的真相？那要怪自己的心地不夠清淨，想要照見，必須把心鏡磨亮，把分別計較的小我轉化為關愛包容的大我，智覺之光自然顯現而無礙。

三種

非常重要的綱紀就是：君臣講究道義；父子感念親情；夫婦相敬和順。

「綱」是收網的大繩。漁夫把網撒向海中，收網時，只要拉回大綱，網自然就收合了。如果綱壞了，不論你怎麼拉，也無法把網收好，因此綱可以引申為「最重要的部分」，有一句成語「提綱挈領」，就是這個意思。只要把握綱要，有了次序，什麼事都好辦了。這裡所說的三綱，是人世間最重要的秩序，如果和諧就可以致太平。

三綱者

君臣義

父子親

夫婦順

「君臣義」，君臣之間以道義結合，君要有君的樣子，把臣子看成是輔助自己治理天下的人，而不是奴僕，要「尊重」臣子。臣子也以治理天下為己任，盡「忠」職守。如此上下都守住自己的本分，這樣來治國，必定萬民誠服，國家安定。

「父子親」，父子是天倫，這種親密關係是天生的，我國傳統強調五倫，基本精神則在關懷。父慈子孝正是

一種關懷，父母對子女的深情表現於尊重子女的獨立人格與自由抉擇，子女的心受到親情的啟發，也深深體驗為自我成長的動力，並與父母的心願雙向交融，進能實現彼此共存整體和諧的價值要求——孝。

「夫婦順」，夫婦是五倫的開始，這

一倫壞了，其他四倫也好不了，因此夫婦的結合，要特別謹慎，一旦結婚，就要白頭偕老，不可輕言別離。

夫者扶也，妻者齊也，夫有扶教之德，妻有齊順之德，夫婦合德同心，則家齊而後國治。家庭是社會國家安定的基本要素，倘能家家修齊，自然就國治民安。

有人極力提倡男女平等，其實平等是建立在互相的尊重上，婦順夫，夫敬婦，和睦相處，這樣孩子才能在安樂溫暖的氣氛中，健康快樂的成長。

你們看這三綱是不是特別重要，具有安定國家社會的功能呢？

春、夏、秋、冬稱作四時，運轉不停。地球上之所以有四季的變化，是因為地球繞著太陽公轉的關係。這四季各有特色，萬物也隨著季節而表現出不同的生活形態。

由於四季循環不停，萬物也因此而生，生不息。

曰春夏　曰秋冬　此四時　運不窮

氣象，花草樹木在這個時候抽芽長葉，到處百花盛開，蝴蝶飛舞，一切都充滿了希望。

古人說：「一年之計在於春。」在這美好的春天，如果作好了一年的計劃，再加以實行，到了年終必定有豐碩的收穫。

「春」天（農曆正月到三月）具有一種欣欣向榮的熱，又是另一番景象。

「夏」天（農曆四月到六月）氣候炎熱，這時植物長得最茂

盛，動物也不例外，因此蚊、蠅、蟑螂這些會傳染疾病的蟲類，繁殖得很迅速，如果不注意環境衛生，就容易染病上身。

「秋」天（農曆七月到九月），經過漫長夏天的成長，到了秋天該收成了。萬物在夏天把生長的力量耗盡，因此到秋天逐漸凋零，一切似乎都顯得軟弱無力，樹葉變黃掉了下來，秋風陣陣吹襲，充滿了肅殺之氣，難怪古人都在秋天對死刑犯行刑，也是為了配合時令，不傷仁德啊！

「冬」天（農曆十月到十二月），在大陸北方早已是大雪漫天，一片銀色世界，但動物冬眠，植物也被覆蓋在大雪之下。在隱伏中，它們仍蘊藏一股生機，它們養精蓄銳，只待明年春天，東風解凍，萬物又在大地的舞台上，展現各自的生命力。

農夫依著四時春耕、夏耘、秋收、冬藏，一點也不亂。四時對萬物有一種調節的力量，使一切都歸於次序。我們更要效法「天」，做個自強不息的君子，日新又日新。

這一段

經文主要是讓我們認識方位。東西南北的方向

都是和中心相對應的，如果沒有一個中心，就沒有所謂的東西南北，因此，中心移動，方向也要跟著改變，方位並不是永遠固定的。

在地圖上，通常右邊代表東方，左邊代表西方，上面代表北方，下面代表南方，有了這個基本觀念再來看地圖，才不致錯認方向。

剛開始人類並沒有所謂的方向，由於需要才定出來的，如果沒有制定，想去臺北可就難了，不知要往哪個

曰南北
曰西東
此四方
應乎中

方向才好，沒有既定的目標，走一年也走不到。航空和航海要是沒有方向，飛機和船根本就動不了，可見認識方位很重要。

現在有兩種測定方向的工具是指南針和羅盤，指南針永遠指向南方，黃帝時發

明的指南車也是這個道理，有了一個固定的方向，便不難知道其他三方，靠著這種儀器，黃帝才不至。

於在大霧迷漫中迷失方向，因而戰勝蚩尤，懵懂忙碌的過一生，不知到底此生為何而活？

不但走路要有方向才不會迷路，人生也該有一個努力的目標，才不致迷失自我，

世間的方位是依中心點而定的，人生可行、應行、甚至必須行的價值方向，也是由真誠的自我來抉擇的，畢竟沒有價值方向的人生是不值得活的。

水

水、火、木、金、土這五行，是根據數目而產生的，也就是天一生水，地二生火，天三生木，地四生金，天五生土。

五行跟人的命理有很密切的關係，五行總相是表人從無始以來所作的總業相，五行之氣是表人的習氣，簡言之，從五行可知道人的作業福德與習氣。

知道五行的變化便可預知未來，還可追溯過去，因為世事變化莫測，都是錯綜複雜的因果關係，如果能夠諸惡莫作，眾善奉行，壞事就不會臨到我們頭上，這才

曰水火　木金土　此五行　本乎數

是改變命運的有效方法。研究五行的人都知道相生相剋的道理，相生是水生木，水可滋長樹木。木生火，木燃燒就產生火。火生土，火熄滅後剩下一堆灰，灰就是土。土生金，各種金屬都是從土裡挖掘出來提煉而成的。金生水，金石含水，遇熱即溼。知道相生的道理，做事才知道該由那裡下手，不致白費功夫，如果想在木中尋金，那是辦不到的事。

相剋是水剋火，發生火災時用水去滅火剋金，，這正是充分利用相剋的道理。火剋金，

火可以用來消鎔鍛鍊金屬。金剋木，斧頭可以砍伐樹木。木剋土，木把土中的養分吸收殆盡，也是相剋的一種。土剋水，所謂「水來土掩」就是這個意思。

由相生相剋的循環中，我們發現了有趣的現象，如水剋火，而火生的土就來剋水，水生的木又來剋土，這個環永遠解不開，

有點像人類，當父親被別人欺負時，兒子就代他出氣，對方的兒子又為自己的父親出氣，沒完沒了。五行都是無情物，可是連無情物都懂得「孝順」，我們身為「萬物之靈」的人，又怎能不如它們呢？

仁、義、禮、智、信稱作五種常理，這是不容許紊亂的，人人都應該了解五常，更應該實行遵守，因為能做到這五條，才配稱作「人」。下面我們就一一介紹這五字的意思。

曰仁義
禮智信
此五常
不容紊

「仁者人也」，由字面上看，仁就是二人，單獨一個人無法表現出仁來，一定要兩個人。人與人相處，存著一種惇厚的心理，不傷害對方，一切為對方著想，這就是仁。在實行上，最需把握的基本原則是「己所不欲，勿施於人。」也就是要實行「恕道」。

「義者宜也」，人所應該做的事就是義，凡事合宜的，做出來對大眾有益的事，都是義。如果只對少數人，或某個人有好處，而對多數人卻有害，像這樣就不可稱作義了。

「禮者理也」，做人做事要合乎道理。怎樣才合理呢？就是要凡事恭敬，由內心發出恭敬對方、恭敬事物的心，有了恭敬心，對人不敢魯莽，

做事一定處處受人歡迎，也不會把事情給辦壞了。求學也要恭敬，才可以得到學問的真實益處。

「智者知也」，具有分辨善惡、是非、邪正的能力，知道那個該做，那個不該做，才不會迷迷糊糊，造下更多的罪業，受苦無窮。

「人言為信」，人講出來的話必須誠實不欺，才叫人話——信，否則就叫猖，只是動物的叫聲罷了。

上面說的五常恰與佛家的五戒相通，五戒守得住，才可得人乘果，同樣的

，五常守住了，才可稱之為人。如今我們都幸運為人，可別忘記作人的本分。現在就把五常和五戒作成一張表來說明二者的關係，以便了解。

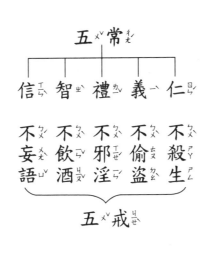

五常				
信	智	禮	義	仁
不妄語	不飲酒	不邪淫	不偷盜	不殺生

五戒

仁是不忍人之心、測隱之心，看見別人受苦，就像自己受苦一樣，像堯、舜、禹、湯、文、武這些聖人，他們都愛民如子，所以是仁君。仁人看見動物被殺，於心不忍，因此他們「不殺生」。

義是合宜的才做。而偷盜的行為是不合宜的，因此

不去做。凡不屬於自己的東西，就不可用明盜暗偷的方法佔為己有，所謂「不義之財不取也。」所以守義的人絕不偷盜。

禮是在一定的規範內做事，不踰越，這樣彼此才能相安無事，若超過限度就是「淫」，會發生爭奪與利害相侵的事件，因此懂禮之人不非分邪淫。

智者必得保持清醒的頭腦，對人對事才有正確的判斷力，如果飲酒、吸食強力膠、打速賜康、吃毒品，一旦亂了心智，迷迷糊糊的，會做出什麼事就不得而知了，因此智者不飲酒。

信者不輕言，話未經考慮，就隨便說出口，如果做不到，就壞了信用，因此

守信的人，絕不妄語。

五常（五戒）與我們息息相關，同學們好好記住實踐要點，照著去做，必有意想不到的好處。

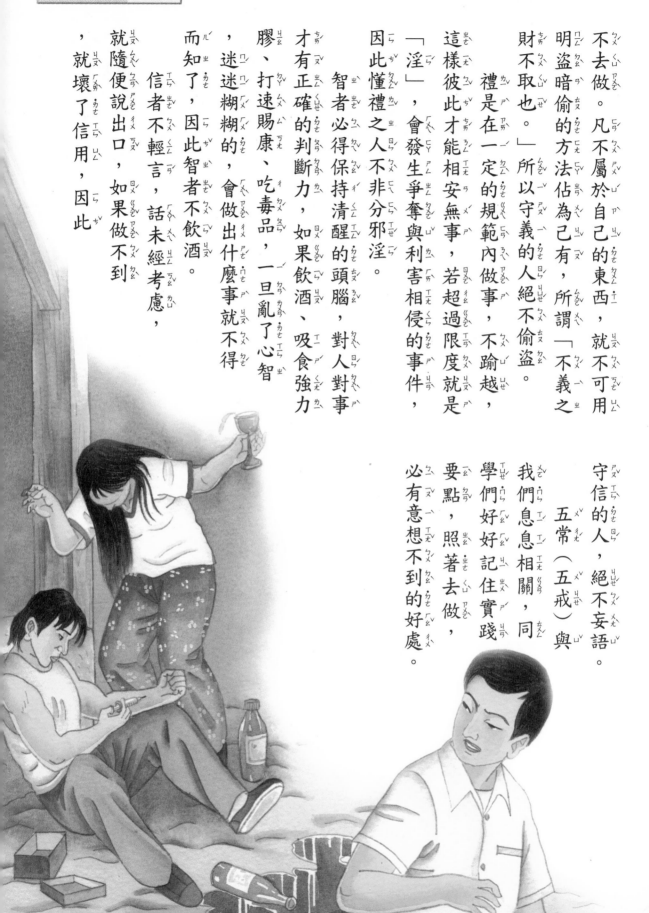

稻、粱、菽、麥、黍、稷，這六種穀類，是供人食用的，而且大多拿來當作主食。中國地大物博，各地氣候、風俗、物產不盡相同，因此人民吃的主食，也就有了差異。如臺灣盛產稻穀，因此以稻為主食，而中國北方由於天寒，適合種麥，因此北方人以麥為主食，而東北人則又以當地盛產的大豆為主食。

下面就介紹這六種穀類：

稻梁菽

麥黍稷

此六穀

人所食

性而早熟的稻。粳是不黏而晚熟的稻。而糯是富於黏性的稻，多用來作成糕、粽。

我國的農業改良場一直研究改良，希望能生產出一種抗病力強、產量豐、穀粒飽實的品種，這樣就可以在有限的土地上，生產足夠的糧食。

「梁」就是北方的高粱，長得快高，人躲在裡面都不易被發現，因此高粱田被稱作「青紗帳」。梁有青、黃、白三種，可用來釀酒，

「稻」分為秈、粳、糯三種。秈是無黏屬於涼性，因此稱作梁。

「菽」是豆類的總稱。豆類含有豐富

的蛋白質及多種營養素，作為主食非常理想。

「麥」俗稱夏穀。

有大麥、小麥之別。大麥可以釀酒及作成麥芽糖。小麥磨成粉，就成了作饅頭、蛋糕的麵粉，小麥也是釀醬油的原料。

一根芒，很好認。果實的上面有一根芒，很好認。

「黍」俗稱小米或黃米，形態和稷很相似，只是稷比較小。苗像蘆葦，高一丈多，色黑果實圓。因為是在大暑時種的，因此叫黍。黏性的黍也可以釀酒。

「稷」是二年生草本，高四、五尺，葉細長而尖，種子白色，供食用。

本草綱目說：「黍和稷是同一類中的。

兩種植物，黏的叫黍，不黏的叫稷。」

以上六種穀物是上天生來作為養民的食物，這是上天的厚賜，大家應該心存感激，不可任意糟蹋，一粥一飯，當思來處不易，大家要惜福才是

馬

牛、羊、雞、犬、豕稱作六畜，這六種動物畜就是家裡養的禽獸，是人所飼養的，這與六穀為人所食不相同，而我們之所以飼養牠們，是因為牠們對人類有貢獻。下面就分別說明：

馬牛羊
雞犬豕
此六畜
人所飼

「馬」能負重致遠，古代沒有汽車，出門坐的是馬車或直接以馬代步。好馬可以日行千里。至於要快速的傳遞消息，就非靠馬接力跑不可了。

「牛」不像馬可以快跑飛奔，卻可以拉車運載貨物，也可以耕田，更供給主人營養可口的牛奶。

「羊」生產羊奶。羊有跪乳之恩，時時警惕人類要孝順父母，否則不如畜生。

「犬」能守夜防患。犬最通人性也最

忠心。古代有一位大學問家叫陸機，家中養了一條狗叫黃耳，會替陸機帶書。

從前有一位楊生，家中也養一犬，跟隨主人進進出出，有一天楊生醉倒在郊野中，而鄉人正放火燒山，眼見就要燒到楊生了，這時犬跳進河中，沾了一身水，用來浸溼楊生的衣服，使主人免於燒傷。

報上也曾刊載，有個小主人和狗玩耍，未料草叢中竄出一條蛇，欲加害小主人，而義犬為救主人與蛇博鬥，最後把蛇咬死，但犬也傷重死亡。

由上面幾個故事可以知道，犬是人類親密的好朋友。

「豕」就是豬，是常被認為除了貪吃之外，一無是處的一種動物，其實牠也有功用。如以前種菜種稻都是用糞作肥料，光是人糞不夠用，得再加上豬糞。現在也有人利用豬糞發酵產生的沼氣，代替瓦斯。誰說豬沒有用呢？

這六種動物各有專司，所以為人所飼養，並不是養來吃的，再說，我們怎忍心殺食對我們有功的動物呢？

喜、怒、哀、懼、愛、惡、欲，這是人類與生俱來的七種情感，很難斷除，因此我們必須認識它們，進而控制它們，才能免受其害。

在好的方面呢？如喜讀書、喜行善、喜研真理，這樣就能轉惡緣為善緣了。

這七種情感，到底是怎樣一個情形呢？

「喜」：心之歡樂也。

人一遇到順境，自然就會表現出歡喜心，但是每個人對事物的歡喜程度與標準不同，全因當時的心理狀況而異，而心理則受見識、修養、氣度以及所處的環境而改變。

「喜」情既是不可免，那麼何不運用

「怒」：心之煩惱也。

遇到逆境不順己心，就容易動怒。怒也就是瞋，這是根本煩惱之一，所謂「一念瞋心起，百萬障門開。」

日喜怒

日哀懼

愛惡欲

七情具

「怒」對生理、心理都造成很大的傷害。容易動怒的人，除了表示個人修養不夠之外，也顯現個人對事物的道理看不透，太膚淺了才會生氣，所以俗語說：「學問深時，意氣平。」這樣看來，以後我們就不該再說：「都是你惹我生氣的啦！」

也有人看了不公平的事，便怒不可遏，固然是很有正義感，可是並不能解決事情，不如定下心來，仔細考量一下，尋找解決之道，才是正途。

今日寰宇殺戮太多，就是因為有人怒氣太盛，不能克制自己的緣故。那麼要如何治療呢？用一個「忍」字，古諺云：「忍一時之氣，免受長日之殃。」「忍一時氣，風平浪靜；退一步想，海闊天空。」

朱子治家格言也說：「輕聽發言，安知非人之譖愬，當忍耐三思。因事相爭，焉知非我之不是，須平心暗想。」凡事不要太衝動，「忍」才是保平安的良符。

「哀」：心之痛切也。人常患得患失，得到時，意

氣昂揚，喜出望外，甚至忘了我是誰，一旦失去，又哀傷得不得了。人間最哀痛的

是生離死別，由於情感的牽絆，臨別時難分難捨，哭得死去活來，這種哀痛也只有

親身經歷的人才能感受到。

「哀」太過則傷身，且於事無補，而智者能防患於未然，以減少哀痛之情，使

心境常處於安泰，不受外在環境的影響。

有一句名言：「哀，莫大於心死。」

意思是說：一個人對周遭的事情已不再關心，麻木不仁，不懂得開創前程，任由外

境擺布，心中空空洞洞的，不知痛癢，這明明還大有可為，卻認為自

是很可悲的。

己已被打入谷底，毫無希望可言，不肯力

圖振作，改造命運，追求更幸福的生活，

對這種人你又能怎麼樣呢？

「懼」：心之惶恐也。在論語

顏淵篇第四章，司馬牛問：怎樣才算是

君子？孔子說：君子不憂不懼。司馬牛

又問：不憂不懼就是君子了嗎？孔子說：常常反省自己，如

果沒有做出對不起別人的事，那有什麼好憂愁、好懼怕的呢？意思是說：如果不種

惡因，自然不用害怕會有惡果的到來。

眾生會懼怕，是因為受到苦惱迫害或

者是對未知的一切，無法早作預備而感到畏懼，如果懂得因果，那麼為了避免惡報，就會在因地上戒慎小心，不去造惡。許多作奸犯科的人，都是事後才後悔，但悔之已晚矣！

「人命在呼吸間」，人最大的畏懼是死亡的恐怖，但很少人作這種觀想，總以為自己可以長命百歲，因此凡事總愛斤斤計較，誰能料到何時會一口氣不來，一切都將化為烏有呢？如果能體會世事無常，就該好好運用這「懼」情，作為助道良方，積極的從內心淨化覺醒此生的存在價值，進而將之實現，這樣的人生才有意義。

「愛」：心之貪戀也。看見心裡所喜歡的，便執著不放，所以當失去時，便萬般捨不得，這就是愛之後必將發生的別離苦。愛常與貪合在一起叫貪愛，看到自以為美的、好的，都想佔為己有。佔到了，卻惱害了別人，若佔不到，自己又痛苦，愛之一字，真是害人不淺。要如何破解呢？就是把一切都看成假相。世間所有事物都是眾緣和合而成

的，眾緣分散便成「空」，這麼一觀想，就會發現，世間的一切並非都值得我們去追求，去貪愛。

歷史上有許多人，為爭王位，為爭國土，為爭美女而發動流血戰爭，造下種種惡業，雖暫時享受勝利的快樂，但可怕的報應卻緊跟而來，所以唯有「清心寡欲」，才可免將來之憂。

「惡」：心之憎嫌也。對於醜的、不好的，產生討厭的心理。「愛」固然不好，但「惡」也不可取，最好是中庸之道，也就是不要起分別心，要怨親平等，平常廣結善緣，不要到處結仇，如此才可常保吉祥如意。

「欲」：心之思慕也。看見別人有，

而我沒有；別人的較好，而我的不好。便產生一種羨慕心理，嚴重時就生起欲望，而激出貪求心。

欲望重都是不知足所造成的，俗語說：「知足常樂」，若不知足就要永受「求不得」之苦。

七情都各有其缺點，但無一人可斷盡，因此我們要善用七情，要有所為而發，一切為公不為私，發也要合乎節度，收放一切為公不為私，自如，這樣才是真正至性至情的「性情中人」。

用

匏瓜、黏土、皮革、木頭、玉石、金屬、絲絃、竹管等材料作成的樂器，可演奏出八種不同風格的樂音。這八種材料可作成那些樂器呢？

「匏」是葫蘆的一種，它可以用來製作笙、竽等吹奏樂器。笙是用十七根紫竹作成管子，列在匏中而成，古人很喜歡聽笙的聲音，因為它給人一種天下太平、國泰民安的感覺。戰國時代，齊宣王也喜歡聽人吹笙，因此產生了「濫竽充數」這有趣的成語故事。

匏土革
木石金
絲與竹
乃八音

「土」就是瓦器，用土燒成的樂器有壎，壎像卵那麼大，上方略尖，下方較平，有點像秤錘，有六個孔，也是用吹的，吹出「嗚嗚……」的聲音。

壎可以和一種用竹子作的樂器叫「篪」的，一起相和著吹，發出和諧的聲音，因此，我們常用「壎篪」來比喻兄弟和睦，不起口角。

「革」是牛皮，可做成鼓，聲音鼕鼕，具有激勵士氣，振奮人心的作用，因此古代戰場上，進攻時都擊鼓以助聲勢。

「木」，用木頭作成的樂器有柷和敔。柷是以桐木做成，像方形的桶子，上面有一個圓孔，三面畫山，一面畫水，使用時，先用槌子撞底部，再擊打左右，共三聲作起樂。現在我們比較常用的木製樂器是木魚，它可以敲出非常樸拙的聲音。

「石」，用玉石可作成磬，它的形狀，很像人行禮鞠躬的樣子，所以形容一個人鞠躬的樣子叫「磬折」。把各種磬由小到大，編成一排排掛在木架上，這叫編磬，在祭孔典禮上可以見到，敲打時會發出非常清脆的聲音。

「金」就是用金屬鑄成的樂器，有鐘、銅、鑼、鎖吶、鈸，發出來的聲音都很響亮，而且可以傳得很遠。在古代如果打敗仗了，要撤退時，元帥會下令「鳴金收兵」。

「絲」指的是用絃來發出聲音的樂器，如琴、瑟、琵琶、古箏、胡琴、揚琴、

月琴，以及西洋樂器中的提琴、鋼琴、吉他等都是屬於此類，大多用手指彈奏，不但音域廣，音階變化也多，聲音更是悠揚美妙。

「竹」，用竹管穿孔製成的樂器有笛、簫之類，這是攜帶最方便的一種樂器，各種場合皆能隨興之所至，吹奏一曲。

古代在什麼場合演奏什麼音樂，都有一定，大家按著音樂來行禮，一切都是規規矩矩的。同

時音樂會牽動人心，使人自然而然表顯出合於節度的情態，例如在朝廷上聞了樂，各個朝臣自然精神抖擻，莊嚴肅穆，很有威儀的樣子。在宴饗賓客時奏的樂，令人聽了心情愉快，達到舒暢身心，娛樂嘉賓的功效。因此樂和禮是相輔相成的，可見音樂有多重要了。

「樂者天地之和也」，音樂可以調和人的性情，使合於節度不超過。可是現在社會上流行的多是靡靡之音，無病呻吟，毫無美感，充滿了病態。古人有言：聽一國的音樂，便知國家的前途如何。古代鄭國因為音樂不正而亡了國，我們怎可不引以為鑑呢？現在我們可以做的是：自己不去聽這些不合於禮的音樂。

九族

是我們的直系血親，和自己的關係最為密切，因此人倫的次序，必須認識清楚，才不致混亂，如果不幸顛倒了次序，把子當父，可就天下大亂了。

高曾祖　父而身　身而子　子而孫　自子孫　至玄曾　乃九族　人之倫

本文中的「身」指的就是自己本身，向上推是「父親」，再上去是「祖父」，再向上推是「高祖父」，再向上去是「曾祖父」，到此算來就是五代同堂了。或許有人會問，高祖再上去要如何稱呼？我們不妨統稱為祖先。因為現在社會大多是小家庭的結構，能三代同堂就已

經很不錯了，而且今日，人類的生命處在污染的環境中，飽受繁忙緊張的壓力，很難得享高壽，又加上晚婚的關係，想要四代同堂就更難了，何況是五代、六代呢？

中國是一個非常講究倫理輩分的國家，輩分是一下生就註定的。有人一生下來

就當舅舅，雖然年齡比外甥小，可是在家中的地位可就大不相同了。走路他可以走前面，吃飯可以坐上座，沒有人敢說他不對，只因為他的輩分大。

由自身向下推是「兒子」，再下去是「孫子」，再向下是「曾孫」，曾孫下面才是「玄孫」，也有稱作「元孫」的，到此九族就圓滿了。

由於種族的繁衍，我們除了直系血親之外，還有旁系血親以及因為婚姻關係而結成的姻親。中國人的習慣是，只要沾上一點邊，都喜歡攀親道故，這種親愛敦睦的習性，衍生出一股團結的力量，形成了宗親。這種宗親的範圍應該擴大及於國家民族，因為我們都是源於一脈，都是黃帝

的子孫，照這麼說來，四海之內豈不是皆兄弟了嗎？

有了

九族，就有五倫關係。男女結婚後成了「夫婦」，生下孩子，個人都應該做到的，沒有一個人可以例外。有那十義呢？

就有了父子及兄弟關係。出外做事則有朋友及長官與部屬的關係。

五倫彼此間都有互相對待的原則，各有應盡的義理，如果人人敦倫盡分，五倫的結構才會完整。中國自古就是一個講究五倫的社會，因此至今已有五千年的歷史，中間雖有異族入侵，卻沒有被消滅，就是靠這種力量維繫的。

五倫所衍生的十種該盡的本分，是每

父子恩：父子的感情是天生的，這種親情，一切不斷也割不開，所以叫「天倫」。父不厭子醜，子不嫌父貧，做到父慈子孝。父母慈愛子女，因為「慈」而使子女樂於親近，不致疏遠

父子恩
夫婦從
兄則友
弟則恭
長幼序
友與朋

；因為「愛」而更加盡心管教，使能成個人才。這種愛絕不同於一般人盲目的溺愛。

子女對
父母則要盡
孝，因為父
母對子女
有生、養
、教的

大恩，因此必須以孝來回報，絕不可忤逆犯上。

夫婦從：「夫唱婦隨」是夫婦相處的金科玉律。夫者扶也，夫要提攜妻子，盡到保護與照顧的責任。「婦」字是一個女人持著掃帚，表示要勤於家務，把家庭料理好，讓丈夫無後顧之憂。有人說：「一個成功的男人，背後必有一個偉大的女性在推動。」這個女性可能是母親，也可能是妻子。主婦雖然身居幕後，但他的賢慧卻是丈夫成功的主力，婦女怎可忽視自己的地位，而自覺不如人呢？

丈夫要以情義對待妻子，而妻子則以順從為美德，二人相敬如賓，家庭和諧，這才是真正的齊家之道。

我們知道姻緣本是前生定，夫妻雖然生活習慣略有不同，思想、觀念也不盡一致，卻應該彼此容忍，不要輕言別離。有人請教一對維持婚姻達七十年之久的老夫妻，他們倆倆幸福婚姻的秘訣，他們說：只有一個「忍」字。遇到意見相左的時候先忍下來，不衝動。當然「溝通」也是相當重

要的，這是夫妻相處的潤滑劑。希望我們能多見天下美滿婚姻，讓明天更美好。因為幸福的婚姻，是給下一代最佳的禮物，您說是嗎？

兄長要友愛弟妹，弟妹要恭敬長上，這樣兄弟之間絕對可以和睦相處，不致發生兄弟鬩牆，令父母傷心的事情。

兄弟本是同根生，不應該斤斤計較。

如果能做到你讓我一分；我敬你兩分，豈不是和樂融融。你們可曾看過一篇「紫荊樹」的故事？這是敘述兄弟鬧分家，你爭我奪的情形。連樹也要分，而無情的樹，都因不忍被分割而先行枯萎，身為萬物之靈的人，怎麼如此無情呢？還好兩兄弟受到紫荊樹的感動，不再鬧著要分家，才得

以圓滿收場。

老人家常告誡晚輩一句話：「打虎抓賊親兄弟。」意思是說遇到困難時，別人可能袖手旁觀，但是親兄弟一定會來幫你的忙。這同時也說明了：兄弟如果團結一致，一定可以把凶猛的老虎和賊打跑的，也就是說，兄弟彼此合作，就可以克服各種困難，兄弟如手足一般重要，怎好不珍惜呢？

兄長要給弟妹做個好榜樣，而且要負起保護、指導的責任。兄長在家庭中的地位是很高的，如古代女子有所謂的「三從」：在家從父、出嫁從夫、夫死從子。子指的是就長子。長子既然如此重要，父母在生下長子後，就要好好教育他，養成良好的生活習慣，學習各種禮節，只待習慣成自然，以後弟妹有樣學樣，就好教得多了。

父母對子女的態度更須一致，不偏愛老大，也不慣溺老么，讓他們彼此尊重。父母本身也要以身作則，與伯叔姑嫂和睦相處。父母。在這麼好的環境下，兄弟絕沒有不友愛

的。

長幼序：親族之間，要講究長幼的次序，也就是注重輩分關係。有的家族以某些字依序嵌入名字裡面，清楚的表明輩分。以天下一家的孔氏來說，就是個明顯的例子，因此就有「德」字輩，「建」字輩的不同了。

中國人親族關念很濃厚，遇到同姓的長輩，雖然本來不相識，可是血濃於水，馬上可以親愛如一家人，這是很好的現象，但是千萬不要只是止於此，應該再擴而大之，做到「老吾老以及人之老，幼吾幼以及人之幼」的境地。對於任何人，年齡大我十歲的，就以兄長之禮對待他；年齡大我二十歲的，就以父執輩之禮恭敬他。

相反的，年齡比我小，則以弟妹、子女視之。人人以此心態來對待別人，必定可以達到孔子理想的大同世界。

友與朋：朋、友二字意思非常接近，若加以分別，則同門叫做朋，而友則是交情更進一步了。有相同的理想，志同道合，朝共同目標努力的兩個人，就叫做友。所以朋、友是有親疏之分的。

朋友之間講求「朋誼友信」，朋要有情誼，有困難時互相幫助，才算盡到同窗之誼。

「友」是進一層的交往，彼此要約束自己的行為，以增進二人的親厚關係。如果行為隨便，又不守信用，就會讓人以為你不重視彼此間的友情。感情就會漸漸疏遠，所以朋友之間不可以因為太親密就隨便了。

要知道友情也是經過培養而建立的，不小心維護，友情的花朵也會枯萎。

論語裡面有一章說：「君子以文會友，以友輔仁。」君子與朋友交往，是以詩、詞、歌、賦、琴、棋、書、畫等方式聯絡感情的。而彼此間藉此相互激勵，增進自己的仁德，所以是道義的結合。當朋友有錯時，必須「忠告而善道之，不可則止，毋自辱焉。」見朋友有過錯，要發自內心的誠意去勸告他，言語要委婉曲折，以收到效果為目的。但若勸告三次之後，他仍不聽，就不要再勸，免遭其羞辱，從此可以慢慢疏遠他。可是君子絕交不出惡聲，所謂「人情留一線，日後好相見。」或許將來他改過了，仍然可以繼續往來。這些都是和朋友相處要特別注意的地方。

君主

君則敬

臣則忠

此十義

人所同

要禮敬臣子，臣子要對君主盡忠。這樣就不會有君主欺凌臣子，使臣子產生「伴君如伴虎」的畏懼感；而臣子也不會做出僭越犯上，篡位弒主的事情。君臣各盡己分，才能把天下治理得很好，否則君不君，臣不臣，朝廷政綱不興，有了內訌，必定招來外侮。所以君臣間相處融洽，正是家國之福。

現在是民主時代，已經沒有專制的君主，但仍有領袖，各個機關也各有首長、主管，這就是現代的君，而輔助主管辦事的部屬，就是

臣。

做主管的人要有一個觀念，就是部屬是幫助我辦事的人。因此，對他們應該存著恭敬心，因為如果沒有他們的幫忙，主管一個人是無法辦事的。所以當主管的不

是勉人要盡心盡力去做好。由自己開始做起，進而影響家人、朋友、周遭的人，這種影響力是不可忽視的。

要擺架子、要威風。真正懂得統御學的人都知道，越是尊重對方，越能獲得對方衷心的誠服及死心塌地的襄助。而身為部屬的，則要對主管，對所擔負的工作忠心。這正是中國自古以來最為重視的美德，因此排在八德之首。

以上父慈子孝，夫義婦順，兄友弟恭，長惠幼序，朋誼友信，君敬臣忠十種義行，都是人人必須做到的。

每個人在社會上，身分是多重的，如既為人父，又為人夫、人子、人兄，當然也是別人的朋友，也可能是機關的主管或部屬，總之不出這十義之外，「此十義，人所同」

古代

凡是訓誨剛啟蒙的兒童讀書，都必須講解義理，考究事實，並且詳細說明每個字的意思，引導明白文章那裡該一逗，那裡是一句，這樣才能深入了解文章所蘊含的意思。

「蒙」就是草初生，比喻懵懂還不甚明白的意思，就像小孩子剛上學，對於一切事理還分辨不清，迷迷糊糊。啟蒙是非常重要的，易經上說：「蒙以養正，聖功也。」啟蒙時導之以正，這是聖人教化的功德。若導之不正，後果堪慮。所謂導之以正，其實也就是加強「人

格教育」。

「須講究」.讀書必須多方參考各種書籍，對於事實

要有打破沙鍋問到底的決心，

凡訓蒙ㄇㄥˊ

須講究ㄐㄧㄡ

詳訓詁ㄍㄨˇ

明句讀ㄉㄡˋ

要考證明白，至於查不出來，不敢確定的地方，則存疑，不要妄下斷語，所謂「知之為知之，不知為不知」，這是做學問所要把握的原則。

「詳訓詁」：

訓詁是了解文中的意思。想讀中國書、欣賞中國詩，必須先懂中國字，每一個字的意思都不一樣，即使同一個字，放在不同的詩句上，意思也會改變。如拿「著」、穿「著」、「著」火，意思皆不同，因此非弄明白不可，否則就讀不下去了。

「明句讀」：

文章是由字構成的，字字連綴成一個完整意思的叫「句」。「句」是指文詞的語氣已經結束。如果文詞太長，語氣還沒結束

，而略為停頓以便讀誦的，就叫「讀」，

也有說半句叫「讀」的。

會分句讀，全文才能略知大概。如果

分錯句讀，意思可能完全相反。如從前有

一個人到朋友家作客，接連下了幾天雨，

客人住了好久仍不走，主人有了逐客的意

思，因此作了一篇短文，貼在壁上，但是

沒有加句讀，他的本意是：「下雨，天留

客，天留，我不留。」可是客人卻讀成「

下雨天，留客天，留我不？留。」於是他

又理所當然的住下來了。這就是文章沒有

句讀，所鬧出來的笑話，可見讀書不可不

分清楚句讀。

以上三個要點，都是訓誨蒙童時所應

該注重的地方。

求學

為學的人，剛開始的時候，要先讀小學，讀完再讀四書。

為學者（ㄨㄟˊ ㄒㄩㄝˊ ㄓㄜˇ）
必有初（ㄅㄧˋ ㄧㄡˇ ㄔㄨ）
小學終（ㄒㄧㄠˇ ㄒㄩㄝˊ ㄓㄨㄥ）
至四書（ㄓˋ ㄙˋ ㄕㄨ）

小學是朱子著的一本書，裡面載明初學的蒙童所應該學習的項目。首先要學的是灑掃、應對、進退的禮節。大家可不要小看這三件事，許多大人都做不好呢？

「灑掃」看字面就知道要先灑水再掃地，偏偏有不少小學生是先掃地再灑水，問他原因，他說灑了水，地溼溼的就不好掃了。這是不會灑水的緣故，灑水時水要細而普遍的灑水，可不能一塊乾一塊溼的。你看，灑水也有學問吧！

說到掃地，有許多小孩子連掃把都不會拿，而且掃時帚部揚起，弄得塵土飛揚。該如何掃才能掃得乾淨，且灰塵最少，自己好好的研究研究吧！

「應對」是與人接洽對答時，態度要如何才得體？回答要如何才恰當？多說一句是浮躁，少說一句又不清

楚，因此說話馬虎不得，非得講求簡要詳明，又合乎禮節不可。而且還得因人、因地、因時而異，太不容易了。

更深的學問，也就是研讀四書。有了小學的基礎，再學四書，必可以收事半功倍的成效。

「進退」是待客之禮，客來人，晚輩進茶進果時，進必趨（快），退必遲（慢），而且退時屁股不可朝向客人，一舉一動都得合乎禮節，不輕浮、不莽撞。

以上三件都是最基本的規矩，在書本上學到了，就要實行出來，所謂「知行合一」才是真學問。在古代每個注重家庭教育的家庭，都如此要求子弟，先確立了規矩典範，才可以進一步研究

論語

論語者 群弟子 記善言

論語二十篇

這本書，一共有二十篇，是孔子與學生及當時的人談論有關仁道、學問、政治的記錄。

孔子去世後，由弟子及再傳弟子編輯而成的。裡面所記載的都是孔子的好言行，都是聖人智慧的結晶，每一篇每一章都可以作為我們言行的準則。因此不論古今，放諸四海皆能適用。

論語原本有齊論和魯論之分。齊論有二十二篇，內容與魯論差不多，後來科舉考試都依照魯論來出題，齊論就失傳了，因此我們現在讀的是魯論。

論語第一篇第一章一開始就說「學而時習之」，可見「學」非常的重要。「學」是入道之門，只有學，心智才能不斷增長；品德才能漸趨高尚。

想學就要問，所謂

學問！學問！不問就學不到，因此古人常常到處參訪名師，因為每位老師的見地不盡相同，我們參考多了，實際運用也多，長了見識，知道如何取捨，才能獲得真正屬於自己的學問。

孔子的中心思想是「仁」，這正是「人」的實現，同時肯定了人有無限的潛能，而具體的行為表現就是道德實踐，這不只是人格的完成，也是生命價值的實現。

宋宰相趙普曾向宋太宗說：「我有一部論語，以半部輔佐太祖平定天下，以另外半部協助陛下致太平。」因此留下了「半部論語治天下」的美談。論語不但可以用來治天下，也是個人修養的指南，每一句話都包含了聖人對人情事故的睿智態度。我們常感嘆做人難，辦事難，何不把論語好好背起來，並且切實的運用在日常生活上呢？

孟子

這部書一共有七篇，裡面的內容都是一些道德仁義的事。

「道」是人生的正途，凡是應走的路，該做的事，都是道。我立志做一個人，就是志於道。道是人類共有的，是人之道就是人生的正途，只要是人，就要立志走上人生的正途。

孟子者　七篇止　講道德　說仁義

「德」是把握在個人處境所能實現的人生正途的機會，具體實行。

「仁」是要把自我內在的向善要求實現出來，這涵蓋了人生的一切根本關懷。

「義」是順合大家內心的期許，達到群體的和諧圓滿。

孔子把道傳給曾子，曾子傳給子思，子思再傳給孟子，到了孟子再次把儒家思想發揚光大。

孟子身處戰國時代，時局非常紊亂，只因各國國君都妄自尊大，想要擴張自己的勢力範圍，因此戰事頻繁，天天有攻伐，最苦的是老百姓。

孟子為了拯救百姓免於受苦，也為了消弭戰爭，因此遊說諸侯，勸他們若要國家富強，成就王道，就必須講道德，行仁義，多為百姓設想，因為百姓是國家成立的重要因素，是最寶貴的。所以他提出一句「民為貴，社稷次之，君為輕」的口號，也就是要國君，把人民的一切需要放在第一位。人民受到良好的照顧，相對的會以忠心愛國來報答，國家自然強盛起來。遺憾的是當時的國君都非常短視，沒有一個肯接納他的意見。

因為孟子希望天下能太平，所以汲汲奔走於各國之間遊說君王，卻受到各國臣子們的阻撓，孟子遂拿道德仁義與他們辯論。孟子的口才相當好，當時的人，以為他是個好辯論的人，他說：「我那裡喜歡辯論，我是不得已的啊！」。

孟子在外不得志，只好轉回鄒國，效法孔子教授門徒，與學生講學論道，並且作成了孟子七篇，流傳後世。

中庸

這一本書，是子思寫的，裡面說的都是不偏於一方，永不改變的天下至理。

「子思筆」：「筆」當作「寫」來講。子思就是孔伋，是孔子的孫子，他在曾子的門下求學，作了中庸這一本書，把它傳授給孟子。

中庸之理是孔門傳授給弟子的心法。子思恐怕年代久了，會有所偏差，因此把它寫成書，共計有三十三章。

中庸剛開始只是說一個道理，中間則分開說明萬事萬理，最後又歸合到一個理。

「中不偏」：「中」就是中間，不偏於任何一方，做事不會太過或不及，也就

作中庸

子思筆

中不偏

庸不易

說的都是不偏於一方，永不改變的天下至理。上。因此中庸之理如果開出去，可以充滿天地之間，若收回來，又可以退藏在一個隱密的地方。

此理含意無窮，是很實在的學問，會讀的人，仔細思索研究，一定有所得，終身受用不盡。由此可知，中庸之理和我們有密切的關係。

是依中道而行。實在說來，只有聖人才能如此，凡人由於智慧不足，煩惱又多，做事全憑個人喜好，感情用事，以致每個人的標準不同，因此皆不得中道，如果能近於中道就不錯了。

「庸不易」：「易」就是改變，不易就是不改變。不因著時間、空間的不同而改變的，才可以做為天下的定理。你們想想看，有那些事情是永不改變的呢？

中庸開宗明義第一章就說：「天命之謂性，率性之謂道，修道之謂教。道也者，不可須臾離也，可離，非道也。」儒家對天的信仰，是接受傳統的啟示，對天培養深度敬意，並且以「天」做為至高的主宰。人的原始心靈是相通的，當他保持開

放的心靈，便能無限提昇自我。

在命運之外，肯定使命，使命可以上契於天，是為天命。孔子謂「五十而知天命」，意在於此。天命不論如何展現，最終要求都是自我人格之成全，因此「天人合德」成為儒家的最高理想。

道是儒家探本溯源，回歸生命之初始，由家庭親子關係著手，肯定孝與悌是一切德行的基礎，再推而廣之，更涵蓋各種人際關係之適當規範。所以「道」是人生安身立命的正途，不可須臾離也。

作大學

作《大學》的是曾子。本書共有十章，是教人如何修身、齊家、治國、平天下的道理。

安，只有依靠政治的力量。但是政治本身的制度規章是死的，因此主辦政事的人才是活的，辦政的大人，是孔門所注重培養的人才，務必使他具有仁心，能公平、公正才行。

作大學　乃曾子　自修齊　至平治

「大學」：就是大人之學。大人指的是居官在位之人，也就是負責領導教化工作的人。孔子把「政事」列為四科之一，可見辦政事是很重要的。因為不論是一家、一村、一鄉、一縣、一國乃至天下，都是由人組合成的。人一多，眾人不同心，各行其是，不免發生衝突，彼此就要受到傷害了。因此要使人人相安無事，得到公

曾子姓曾名參，是孔子的學生。孔子曾評論他：「參也魯。」曾子的資賦比較

魯鈍，反應不是很靈敏，但在求道上卻不取巧，肯下苦功，勤能補拙，終於有所成就。孔子的學術思想，端賴曾子傳下來，才得以延續至今。可見魯鈍並不表示學習無望，只要功夫深，「鐵杵也能磨成繡花針」。

「自修齊，至平治」：在修身之前，必須先經過格物、致知、誠意、正心的工夫。心正了，身才能正。本身有了修養，才能影響家人各守本分，趨向正道。家庭和睦整齊了，才有能力出來辦事治理國家，絕對沒有自己的家都理不好，卻可以教人的。因此如果有一家人行仁道，也會影響其他的家庭跟著行仁，漸漸擴大到一國都行仁，可見齊家是治國的基礎。

治國的君子，本身有了德行，才能贏得民心，有了民心才有鞏固的國土，有了國土才有錢財，有了錢財就能加以運用造福百姓，人民得到福祉，對國家更增信心，至此天下太平無紛爭。

大學最後的目標，固然是在治國平天下，但下手處卻在開發個人光明的本性，使自己日新月新，達到至善的境界。

孝經

孝經通

四書熟

如六經

始可讀

講解通了，四書也已讀熟，才可以讀六經：詩、書、易、禮、樂、春秋。

孝經是孔子所作，共有十八篇。孔子曾為曾子陳述孝道，因此由曾子把孝經傳下來。曾子本身就是個有名的孝子，是孝經的實踐者，由孝子傳孝經，真是名正言順。

這是標明讀書的次第，應該由淺入深，由近及遠，由根本及於枝末。

二十四孝中「齧指痛心」的故事，講的就是曾子的孝行。內容是：曾子平日奉養母親非常孝順。有一次到山中砍柴時，家裡忽然來了客人，母親一時不知道該怎麼辦才好，心裡一直盼望曾參快點回來。靈機一動，於是咬破自己的手指頭。在山中的曾參，突然

覺的一陣心痛，猜想是不是家裡發生了什麼事，因此急忙奔回家，才解除了母親的窘境。

由於曾參心裡常惦記著母親，因此母親咬破手指頭，馬上就能有所感應，真是「母子連心」。

母親總是無時無刻不在想念子女的，而子女想念母親的時候卻很少，因此不能感應。如果我們也有像曾子一樣的孝心，自然也能隨時和母親互通消息。

曾子一生行孝，不因父母過世而稍減。有一次他患了重病，便召集門弟子，告訴他們：「看看我的手和腳，我是多麼小心的保護著，就像走到深淵旁邊，走在薄冰之上一樣的小心，唯恐身體髮膚有所損

傷。如今我將要走了，從此可以放心了」。由此可知，曾子一生是如何的力行孝道，連最起碼的身體髮膚都不肯任意損傷，更不會以父母賜與之身來為非作歹，有損自己的德行，因此真孝者必是大善人。

詩

詩、書、易、禮、樂、春秋稱作六經，每一個求學的人，都應該講解研求其中所包含的意思。

六經本來是指詩、書、易、禮、樂、春秋而言，但樂經在遭秦始皇「焚書坑儒」燒毀後，就失傳了。我們知道孔子是以禮經、樂經、射箭、御車、書經、算數等科目來教學生，樂也是其中非常重要的一科。

為什麼要學樂呢？因為每個人都有七情，喜怒哀樂沒有發出來之前叫做「中」，這時心不偏於任一方。一旦發出來又能合於節度，就叫「和」。普通人總是發得不合時宜，任意宣洩而無法控制自己的情緒。發怒時像隻凶老虎，見人就罵，恣意

詩書易
禮春秋
號六經
當講求

破壞，總要待氣消了才清醒過來，但悔之晚矣！也有人樂得手舞足蹈，大聲喧嘩，忘了還有他人的存在。這都是情感發得不適當。怎麼辦呢？可以用樂來調和性情。

不是常聽人說，音樂可以怡情養性嗎？而且從欣賞的音樂可以看到一個人的人文素養。

心中不平時，藉著音符的跳動，情緒獲得了平撫，音樂必須具有這種功效才是好音樂。但現在的新潮樂，不但不能抒解情緒，反而使心情更浮動，更茫然，使心靈更外化而貧乏罷了！

樂還可以跟禮配合，叫人依著樂來行禮，自然而不拘束。禮樂合而為一，一切舉動合於規矩，活潑而不亂。

由於樂經散佚，找不回來了，因此有人把禮記補入，所以還是六部書。小朋友千萬不要把春秋經拆開來，以為是春經和秋經，那就錯了。

「經」是聖人所作，是千古不變的道理，聖人通曉宇宙人生的真相，引導後世的人將其體驗的真理記載下來，這正是文化傳統的精髓。而且根據人情事故來寫，因此內容是人人可以遵循的。

連山、歸藏、周易這夏、商、周三個朝代的易經，雖略有不同，

但是到了周朝，已經把易經的道理發揮得很詳盡了。

在遠古時代，有一天伏羲氏看見一隻龍頭馬身的動物，由河裡飛出來，背部還有五十五個黑白點，這就是所謂的「河圖」。於是他仰

有連山

有歸藏

有周易

三易詳

觀「天象」，俯觀「地法」，中觀「人物」，畫出了與三才有關的八卦，定住陰陽，這個叫「先天八卦」。到了黃帝時代，用一代表陽，--代表陰，並且加以組合，分布在八方，才成為八卦之體。

周文王被紂王囚禁在羑里時，他又研究八卦，又把一卦變成八個卦，共有六十四卦，它的陰陽變化，又把一爻又變為六爻，共有三百八十四爻，變化就更大了。

這個是「後天八卦」。我們現在用的是後天八卦，因為是周

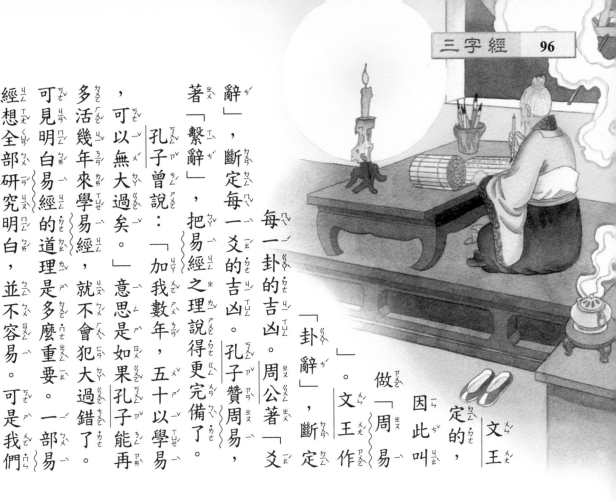

文王定的，因此叫做「周易」。文王作「卦辭」，斷定每一卦的吉凶。周公著「爻辭」，斷定每一爻的吉凶。孔子贊周易，著「繫辭」，把易經之理說得更完備了。孔子曾說：「加我數年，五十以學易，可以無大過矣。」意思是如果孔子能再多活幾年來學易經，就不會犯大過錯了。可見明白易經的道理是多麼重要。一部易經想全部研究明白，並不容易。可是我們

知道，易經主要是在說明萬事萬物的吉凶，好讓我們懂得趨吉避凶的方法，知道進退取捨之道。趨吉避凶的妙方無他，就是深信因果，諸惡莫作，眾善奉行，能這樣自然長保平安，所謂「天道無親，常與善人。」

「易」是改變的意思，萬事萬物無時不在改變，雖變，卻有原則可供遵循。易經可說是一部高深的哲學書籍，有人說：「讀了易經能算卦。」易經固然可以卜卦，但是人的心是一直在變的，心一變，周遭的一切也跟著變，就卜不準了，除非你懂得定心之法，能轉外境而如如不動，不受外緣的束縛，否則仍然無跳脫易掛的吉凶之中。

典、謨、訓、誥、誓、命都是書經的篇名，裡面所含藏的意思非常精微，做得不夠好的地方，要加強實行。有伊訓等篇。

深奧。

典：常也。尖而不可改變的。這是帝王受天之命而登基的證明書。此是大事，非常慎重，內容不可亂加更改。有堯典、舜典。

謨：謀也。是大臣獻上的計策，用以匡正贊助君王的施政方針，目的在幫助君王治理國家。有大禹謨、益稷謨。

訓：誨也。是大臣訓示啟迪國君，補救施政上不及之處，也就是勉勵君王對於

誥：召也。這是君王頒發的號令，告訴天下人，以便新頒佈的法令能夠普遍實行。有大誥、康誥、召誥、酒誥等。

誓：信也。國家要對某個地

有典謨

有訓誥

有誓命

書之奧

方或國家實行處罰，說明出兵的理由是替天行道，對於官兵的勇猛或退卻，以及敵方的頑抗與投誠，有各種不同的賞罰方式，皆一一表明清楚，這類的文書就叫誓。有甘誓、費誓、秦誓等。

命：令也。國君對大臣發布的命令。如命某某人擔任什麼官職。命和誥有所不同，命的對象是大臣，誥的對象是天下百姓。

為什麼叫「書經」呢？因為它書寫了當時發生的事，又因為記載的都是堯、舜、夏、商、周上古時代的事，所以叫做「尚書」。內容很多，而且各代寫法不一，因此孔子加以刪修，只剩下一百多篇。

尚書在秦始皇時遭到焚毀，到了漢文帝時，下詔徵求全國書籍，卻找不回尚書，幸好有一位九十歲的老人叫伏生的，他小時候把整部尚書都背起來了，因此用口講授尚書，

由別人抄錄下來，一共有五十八篇。到了漢武帝時，有一位魯恭王要擴建宅舍，旁邊正好是孔子的老家，他拆掉孔子的家，在牆壁中得到了「尚書」一部，拿來和伏生口授的比對一下，並沒有差別，這一部又叫「壁經」。

小朋友，由伏生老人的口授尚書，你是不是得到了一點啟示？如果你背下一本書，就等於隨身帶了一本無形的書，可以陪你走遍天下，直到老，要用隨時可以拿出來，就像伏生一樣，這才是活書。如果讀了也不記，馬上忘掉，讀得再多也等於零。你們何不趁著記憶力最好的時候，多背一些書呢？

周公

制定周禮，把六官的職責劃分清楚，保存了治理國家的體制。

我周公

作周禮

箸六官

存治體

周公姓姬名旦，是周文王的第四個兒子，周武王的弟弟，他多才多藝。武王駕崩，成王繼位，年紀小，由周公輔政，他處事大公無私，求賢若渴，政績很好。周公為了使國家有一個完整的體制，讓後代子孫有所遵循，因此制禮作樂，奠定了周朝八百年的基礎。

子曰：立於禮。立身處世的行為規範就是禮，制禮使人與人之間不但相通，而且進一步形成和諧，是社會化彼此融合共

立的重要規範。禮制好了，也要由主政者頒布施行，以便人人遵守，周公就具備了這兩個條件。有了完善的體制和音樂，不但為當時的社會建立了良好的風尚，而且也為後來的社會奠定了教化的基礎。

周禮中制定了六官的工作範圍，就像我們現在的五院制度一樣。六官是：

一、吏部天官叫大冢宰，掌管官吏的銓敘、升遷、降調等事。

二、戶部地官叫大司徒，相當於現在的財政部，掌管稅收及國家的財務。

三、禮部春官叫大宗伯，掌管禮制及學校考試等事。

四、兵部夏官叫大司馬，掌管軍事，包括軍隊平時的操練，遇到敵人來侵犯時

，要如何防禦等。

五、刑部秋官叫大司寇，掌管刑罰，有如今天的法官。死刑犯多在秋天處決。孔子曾當過魯國的司寇，三個月就把魯國治理得路不拾遺，夜不閉戶。

六、工部冬官叫大司空，掌管各項技藝，有如現在的文建會。中國是以農立國，農民只有在冬藏時才得清閒，可以學此技藝。

六卿各有所司（職掌），天子只要垂拱於上，就把國事治理得妥妥當當，天下太平。

秦始皇時燒毀詩書，而且不用周禮，到了漢朝，徵求天下書籍，才把周禮發掘出來，但少了冬官，後來漢儒用「考工記」來代替，才算補足。

戴德和戴聖註解禮記，述說聖人的言論，把禮樂的原則說得很完備。

大小戴　註禮記　述聖言　禮樂備

「經」都是聖人作的，而禮記我們說「經」是由孔子的學生共同寫下他們所聽聞的，及後來的讀書人把聖人的言語寫下來所成的書，因此稱作「記」而不稱「經」。

漢文宣帝時，有一位東海人叫后蒼，在曲台殿講禮記，他很會說，於是把禮記定為一百八十篇，叫曲台記。後來后蒼把禮記傳給戴德、戴聖。戴德把它刪為八十五篇，叫大戴禮。戴聖又刪為四十六篇，叫小戴禮。後人又加上「明堂」、「月令」

戴德和戴聖註解禮記，述說聖人的大小來分。

大戴是漢朝人，叫戴德，小戴叫戴聖，是戴德的侄子，為了區別二者，因此用大小來分。

」、「樂記」，一共有四十九篇。現在流傳的是小戴禮。

孔子曾說：「不學禮，無以立。」不學禮，無法建立人格，在社會人群中難以立足。因為禮是教人守秩序的，不合禮制的人，將無法與社會大眾融洽相處。孔子也說：「君子博學於文，約之以禮。」雖要廣博的求學，但首先必須學禮。學禮才能通達人情事故，一切學問才能合乎中道，不會偏於一邊，或用到不好的地方。可見學禮有多重要了。

整部的禮記可用一個字來概括，就是「敬」。曲禮一開頭就說「毋不敬」，對人對事都要恭敬。敬人者人恆敬之，人與人之間摩擦、衝突自然減少，在苦惱的人生中，消彌了許多無謂的煩惱。臨事能恭敬，則辦事便容易成功

事便容易成功

人活在世上，有一個內在的心靈，可以感受外在的一切，當內心和外界接觸時，一定會引發各種情感，禮就是針對人類情感發展的現象，加以調和陶冶，使人類不至於各行其是，秩序混亂。

詩經

按照體例可以分為國風、大雅、小雅、頌四類，稱作四詩，

應該常常諷誦吟詠，深入體會它所蘊含的意趣。

國風：國是諸侯所封的國。風是各地的民俗歌謠，各國諸侯把它採集起來，上貢給天子，天子把它列入樂官來管。由這些歌謠便可以知道各地風俗的好壞，及政治辦得好不好，因為歌詞可以反應民心。

雅：雅者，正也，是正式場合演唱的歌。大雅是諸侯朝覲天子時所唱的詩。小雅是天子款待賓客的詩。大

雅是早朝時奏的樂，使天子自然的接受臣子的諫戒。因此樂有時奏得欣欣和樂，使得臣子敢盡情的抒發己懷；有時奏得恭敬端莊，以表顯先王的德行。二者言辭氣勢不同，節拍也不同，這是周公制禮作樂時所制定的。

頌：宗廟祭祀時的樂歌。用以讚美形容祖先的盛德，並把自己的功績告於神廟

曰國風　曰雅頌　號四詩　當諷詠

。

詩有三種作法：賦、比、興。賦是敘述事實，用詩的體裁去敘述事實。比是比喻，我說這件事，其實是指那件事，這件事大家都知道，都有經驗，所以用這件事來比喻。興是寫出以後，興發讀者的感受，讓他的心靈回到情感剛剛開始，非常真純的時候。

「詩言志」，詩是表達作者內心的感受和志向，使人的心情歸於正。詩中所說的好事，可以使人生起善心。所說的惡事，也可以懲戒人心，使人改過修善，不再放逸。

孔子刪詩經後，把它傳給子夏，子夏作了一篇序文，再三傳給漢朝魯人毛亨，

他又傳給趙人毛萇，因此詩經又稱作毛詩或萇經。

詩經把事父、事君的道理都說得很詳細，而且還可讓我們認識各種鳥獸草木的名稱。

孔子也曾對他的兒子孔鯉說：「不學詩，無以言。」不學詩，就沒有辦法把話說得恰當。因為普通人說話總是顛三倒四，不能言簡意賅，有條有理，更不能感動他人。因此學了詩，說出來的話就大不相同了。學求學的人，一定要學詩，常常吟詠，浸潤在其中，久而久之，自能變化氣質。

孟子

說：「王迹息而詩亡，詩亡然後春秋作。」

詩既亡

春秋作

寓褒貶

別善惡

平王，向東遷

眾臣擁立

都到洛陽。這時君弱臣強，五霸、七雄各據一方。雖然周朝有天子的名分，卻無實權。政教不興，號令行不出去。樂師也不呈送詩了，因而「風」亡。

諸侯不來朝見天子，「大雅」就亡了。天子也不宴饗諸侯，

周朝傳到幽王時，貪淫無道，暴虐慘苛，寵愛褒姒。由於褒姒終日不笑，幽王想逗她笑，竟然戲點烽火。列國諸侯，以為有外敵入侵，紛紛帶兵來救援。到了京城，才發現平安無事，各國將領相顧失色。褒姒看了，忍不住大笑起來。

後來犬戎殺進朝內，幽王再點烽火，各國諸侯以為又是幽王在開玩笑，沒有一個肯出兵。幽王張皇失措逃出，死在亂軍之中。

因而「小雅」亡。天子祭祀，諸侯不來助祭，「頌」也亡了。四詩既亡，王者的功業事蹟就不得彰顯。

孔子生於西周春秋末期，見王政不興，非常傷感，也痛心諸侯的專恣，於是自衛國返回魯國，作春秋經，用以幫助王者的教化。

「春秋」原本是魯國史記的舊名，春夏秋冬都有，而今以春秋為名，是取「春生秋殺」之義，代表王者的權力。

當時孔子是六十九歲，將魯史上自隱公元年起，下至哀公十四年止，共二百四十二年內的事，凡是君臣的賢愚，會盟征伐的事，都按年月記錄下來。

當時的士大夫，凡是得到春秋一字褒揚的，則所獲得的榮耀勝過天子所賜的官位。若是得到春秋一字的貶抑，所受的侮辱也超過了天子給他的刑罰。

由於孔子作春秋，賞罰非常明顯，善惡分明，於天地之間，使得亂臣賊子沒有辦法逃脫罪過，使得惡人收斂了許多。因此春秋對於當時紊亂的時局，具有安定的大作用。

魯哀公十四年時在西郊狩獵，捕獲麒麟，沒有一個人認識，還以為是不吉祥的怪物，因此把牠的左趾打傷，丟棄在野地。

後來孔子看見了，很感嘆的說：「這是麒麟啊！由於出現的時機不對，沒有遇到明君，才會被擄。看來周朝是無法再興盛了，才會出現祥物，卻無法感應。」

孔子非常傷心，就絕筆不再寫下去了，因此春秋又稱作「麟經」。

解釋

經義的書叫傳。這裡有三本解釋春秋經的書叫三傳。有公羊傳、左傳、穀梁傳。

孔子作春秋，用以寄寓褒貶。研考自隱公開始，經桓公、莊公、閔公、僖公、文公、宣公、成公、襄公、昭公、定公至哀公，共十二公時代，二百四十二年的事，以文王、武王聖道作為準繩規範，以成王道的大法。

裡面的內容文字簡約，不囉嗦，可是意旨卻隱微深奧，不容易明白，若不藉著三傳就沒辦法了解透徹，所以把三傳一并保存下來，列

參考三傳。

解釋春秋經的書很多，但以三傳最好

三傳者

有左氏

有穀梁

有公羊

經內。在十三現在我們要考查當時的事情，可以

，下面略為簡介作者：

公羊傳作者是公羊高，魯國人，生於周朝末年。

左傳作者是魯國的太史官左丘明，他是個賢能的人。在論語公冶長篇中，孔子說：「一個人如果喜歡說些好聽的話，一見人就笑，對人太過於恭敬，左丘明覺得這種人很可恥，孔子也一樣。心中抱怨某個人，可是卻不表現出來，而且表面上還跟他作朋友，這麼虛偽的人，左丘明覺得可恥，孔子也是一樣。」由此可知，孔子很欣賞左丘明的為人。

左丘明懂得春秋的義理，因此作傳注春秋經。他用編年記事的體裁，按年分把每件事情詳細的記載下來。因此凡是天子

諸侯的事，用兵、革新、禮樂的一些文獻，國家興衰存亡的原因，臣子賢奸善惡的分別等，如果不是有左傳的註解，就無法徹底明白。

左傳以舖陳史實為主，而公羊傳、穀梁傳則以解釋經文為主。

四書

五經的義理明白了以後，才可以閱讀子書。「子」是我們對有德行有學問的人的一種尊稱。這些人研究學問的方向及內容不盡相同，都各自有一套思想體系。他們把自己對事理的看法、想法寫成書，所以子書太多了，內容也各有可取之處，但並非全然正確，或適合於現代，因此我們要根據自己打下的經學基礎，以孔子思想為準則，向外涉獵子書，所以不必把所有的子書全看了，只要選擇對我們的德行、學問有幫助的重要言論，加以玩味就

經既明　方讀子

撮其要　記其事

五子者　有荀揚

文中子　及老莊

可以。

子書中所記載的事務對於世人有利益的，也可以摘錄下來，並且加以實行。這樣自己所學的就能歸於純正，不致流於邪僻，成了邪知邪見。

諸子百家有那些值得研究呢？有五子，就是荀子、揚子、文中子、老子及莊子。下面略為介紹：

荀子姓荀名卿，楚國人，與孟子是同時代的人。他也學習孔子，但主張「人性本惡」，認為要使人改惡向善必須藉助教育的力量。所以推崇禮教，以禮來節制人的惡性。並且勸勉學生勤學，以求青出於藍。他作有荀子上下二篇。

揚子姓揚名雄，漢朝人，他模仿易經寫了太玄經。也仿論語格式著了一本談論王道，尊宗聖人的法言。

文中子姓王名通字仲淹，著有元經及文中說。

老子姓李名聃，周朝人，曾作柱下吏

，道德學問高尚。孔子曾向他問禮，孔子見過老子後，形容他有如「龍」，莫測高深，可見老子是位了不得的人物，才能得到孔子如此的推崇。著有道德經五千言，對人生、文明、政治、宗教等問題，都有特殊的看法。

莊子姓莊名周，楚國人，曾作漆言令，著有南華經。

老莊皆崇尚自然，講究無為而治，思想高超。

經書，

子書都通達文義了，然後可以讀諸史。史書是記載一國治亂興亡的事。君王的聖明或狂亂；臣子的賢能或奸佞，都是史的內容。

讀史一定要考究世系的傳授，王位是如何傳的？都要弄明白。更要知道終結及開始的年歲，因為歷史是以君王的年歲來記載的。

研究歷史就是要了解人、事、物的變化，由這裡來知道存亡興衰的因果關係，好的典型，要模仿效法，使自己及家族蒙羞。所以歷史是一部寶

；不好的事例，更要自我反省，免得重蹈覆轍。這是歷史所能提供我們的寶貴經驗與教訓。

給自己一個警惕。

典，就看你怎麼去讀它。

經子通
ㄐㄧㄥ ㄗˇ ㄊㄨㄥ

讀諸史
ㄉㄨˊ ㄓㄨ ㄕˇ

考世系
ㄎㄠˇ ㄕˋ ㄒㄧˋ

知終始
ㄓ ㄓㄨㄥ ㄕˇ

譬如歷史上的忠臣孝子，至今仍為人們所景仰膜拜，可說是流芳千古。而亂臣賊子，卻遺臭萬年，永遠為後人所唾棄，難得超生。讀了歷史，有血性的人，絕不昧著良心，作出違背國家民族的醜事

許多長輩常告訴我們，務必要多讀歷史，才懂得人情事故，可以少碰釘子，少受罪。大家應深思之！

史書的體例有國史及通史：

國史是記載一個朝代的事情，如二十五史都是國史。

通史是記載從古到今的事情，如資治通鑑、臺灣通史等。

三字經接下來的經文就是講歷史部分。在有限的篇幅內要把歷史完整的介紹完，絕不可能，而且單講世系又太枯燥，因此編者決定把各朝代曾發生的重要事情及人物，摘要說明。小朋友一定要把朝代的更替記清楚，將來進一步研究歷史必有幫助。

伏羲氏、

神農氏、黃帝稱作三皇，他們是上古時代的人。

史前時代，沒有文字典籍，因此太古時代的事情也無從查考。在史書綱鑑中，把三皇的年歲、姓名記載得很詳細，算是最早的歷史了。

自羲農

至黃帝

號三皇

居上世

小朋友不要一聽到伏羲氏在位一百一十五年，就嚇了一跳，其實上古時代的人，壽命都相當長，一點也不稀奇。

伏羲氏姓風號太昊，建都在宛邱。他是最先畫八卦的人，還用八卦來代表事物。他製造琴瑟。教老百姓嫁娶。也教百姓製造網子，捕魚獵獸。在位一共一百一十五年。

以代替結繩記事。

神農氏姓姜號炎帝，建都曲阜，在位一百四十年。他實施買賣貨物的制度，發明耕田的工具未耜，還指導百姓認識五穀及耕種的方法。

他更口嘗百草，鑑定草類的性質及功用，作成一本簡單的醫書。有一次他嘗了一種未知名的草，當他發現是毒草時，已來不及救治。他雖犧牲了自己，卻讓後人知道這種草千萬食不得。

神農氏是位仁心仁德的醫生，他拿自己作試驗，不拿別人的生命開玩笑，可為後世醫生的典範。

黃帝姓公孫名軒轅，趕走強悍的蚩尤，建都涿鹿，諸侯尊稱他為天子。在位一百年，生有二十五個兒子，分到全國各地，經過宗族的繁衍，到今天，中國人都是黃帝的子孫。

黃帝時發明了舟車、弓矢、指南針，還建造房屋。史官倉頡發明文字。臣子大撓定出天干地支，而制成曆法。伶倫制定律呂。歧伯發明治病的方法，寫成黃帝內經。隸首懂得數學，制定了度、量、衡。黃帝還發明銅器，用銅來鑄寶鼎。正妃螺祖則發明養蠶取絲製衣的方法，從此有了衣冠制度。黃帝時代的眾多發明，使中國走上了文明之路。

唐堯

「唐堯」、虞舜稱作二帝，他們都謙恭的把帝位讓給賢能的人，沒有一點私心。

所謂「帝」，是指以仁道來治理國家，處處為百姓著想的君主，才夠資格稱帝。

堯姓祁名放勳，是黃帝的後裔帝佶的兒子。由於曾住在陶、唐地方，因此後人稱他為陶唐氏或稱唐堯。

帝佶崩後，堯的異母哥哥摯即位，在位九年，由於不賢，政治衰微，而堯賢明，諸侯都歸向他，摯只好順大眾的意思讓位給堯，當時

唐有虞　號二帝　相揖遜　稱盛世

堯只有二十歲，他共在位一百年。

堯的時候，已經設官且各有職責，政府組織漸漸完備。他怕百官不能盡職，每隔五年還要親自巡狩全國一次，視察各地的政治，賞功罰罪，興利除弊，因此當時社會富足安康，成為後人歌頌嚮往的太平盛世。

堯九十歲時，年事

已高，想找人代理他執政，深知兒子丹朱無力膺此重任，因此想讓給輔佐他的四岳，四岳不敢承當。於是堯命大家尋訪賢能，這時很多人推舉有虞氏部落的姚舜，堯就讓他代理看看。

舜理政三年，堯非常滿意，便要禪位給舜，但舜不肯接受，只好繼續代理。這樣經過二十八年之久，堯才把帝位讓給了舜。

舜姓姚名重華，目有重瞳。是黃帝第九世孫，但從第四代開始，已經衰微成為平民了，所以沒有擔任過任何官職。

舜是孝順又友愛的人，相信許多小朋友在二十四孝故事中都看過了，這裡不再多說。

堯當時有一種嚴重的天災，就是洪水為患。四岳推薦鯀來治水，經過九年無效。舜當政後，命鯀的兒子禹治水，立禹為司空，居百官之首，使他能安心治水。他用疏導法和洪水苦鬥了十三年，終於治平水患。

舜在位四十八年後駕崩。晚年時，因兒子商均不肖，便模仿舜，讓位給禹。

堯舜無私的禪讓，這種傳賢不傳子的公天下思想，博得後人崇高的讚譽。

夏、商、周稱作三代，禹、湯、文武稱作三王。三王不是指三位君王，

它的意思是：因為人民的歸向信服，而得到了天下，才稱作王。是用王道來治理百姓，因此在三王時代，都是國泰民安的太平盛世。風調雨順，五天吹一次風，十天下一次雨，使萬物得到最適當的生長。由於當時政治安定，民心淳正，感應天地祥和之氣，才有這樣怡人的氣候。相反的，如果人心乖戾、瘋狂，也會招來各種災變，所以一切全在人心的邪正。

稱
三
王

周
文
武

商
有
湯

夏
有
禹

禹是黃帝的玄孫，姓姒名文命字高密，曾受封為夏伯，故後人稱他為夏禹，也

以夏為國號。

禹受命治水十三年，三過其門而不入。為了治水，登高山，臨大川，既要導山又要導水，胼手胝足，吃盡了苦頭，才平息水患。他是中國最早也是最偉大的工程師，因此政府於民國三十年核定，以他的生日六月六日為工程師節來紀念他。

成湯是中國歷史上，第一個領導百姓起來革命的人。他的心地仁慈。有一次他在野外，看見獵人張開四面網，還禱祝所有的禽獸都進到網中。湯覺得這樣太殘忍，因此叫他們撤去三面網，而且改祝詞為：「要向左的到左邊，要向右的到右邊，不要命的才進網來。」天下的諸侯和百姓知道了這件事，都說湯的恩惠施及禽獸，何況是人呢？因此大家便心向著湯了。

湯滅了夏朝後，經過三度謙讓才登上天子位。從此小心謹慎，無時無刻不在求國計民生的改進，自己更是「苟日新，日日新，又日新」的自強不息，努力減少缺點，增加優點。

文王自幼就受到良好的母教。繼位後修明政治，儲備軍事，發展農業。他還親自和農人在田裡耕種。他採用裕民

政策，使得國富民強，成為商朝中最強的一國。

有一次他在興建公園靈臺時，掘出了一副人骨，文王立刻命人把它安葬。諸侯都稱讚文王是位賢君，他的恩澤都能及於枯骨，何況是活人呢？因此大家對他更加心悅誠服。

當時各國仰慕他的德化，遇到糾紛就去請他公斷。有一次，虞國、芮國爭地，要去請文王論斷。當他們一走入周國，看見每個人都互相謙讓，一團和氣，二人大受感動，覺得很慚愧，悄悄回去，地也不要了。

文王死後第二年，次子武王姬發，為了弔民伐罪，積極準備征討商紂。直到紂

王不聽三大賢臣的諫諍，時機已經成熟，才正式出兵，不到一個月，攻進朝歌，紂王自焚死，商朝就結束了。

禹、湯、文武都能愛民如子，一切為百姓設想，才能獲得人民的擁戴，建立新朝代。

夏朝

把帝位傳給兒子，這是天下屬於一家的開始，共傳十七主，經四百三十九年，才變更夏朝的社稷。

禹帝登位後，也仿效先帝讓賢的辦法，推選皋陶為繼承人，但皋陶早死，便又選擇益為繼承人。

禹死後，理應由益繼任，但禹的兒子啟很賢能，國人非常稱讚他，再加上禹的功績令人懷念，因此天下諸侯拜啟不拜益，於是啟即位，擁戴啟為天子，了帝位。而且一代一代的傳下去，成為一種家天下的制度了。

家天下是傳子不傳賢

夏傳子

家天下

四百載

遷夏社

，在改朝換代的時候，往往被滅族。啟後來傳給太康，太康天天飲酒打獵

，不理朝政，被卿士后羿趕走。子仲康繼位，但后羿獨攬大權，仲康沒有機會施展才能，經十三年憂鬱而死。

子帝相即位，是位英明有為的君王，后羿很妒嫉，就把他放逐了，自立為帝。後來寒浞又殺了后羿自立為君，並派兒子澆把帝相殺了，以除後患。

帝相的皇后這時已懷有身孕，逃回娘家有仍國，生下一子，取名少康。少康幼時，母親便把夏朝的典章制度和祖宗的箴誡教給他，鼓勵他立志為國除暴。

大後，作了有仍國的牧正，澆知道了，就派兵來攻打，少康力弱，逃到虞國，虞君很器重他，把兩個女兒嫁給他，並且決心幫助他復國。

虞君又把綸邑地方給了少康，這裡只有十里的農田，及五百個壯丁，所謂「有田一成，有眾一旅。」但少康不灰心，一心一意要以綸邑作為復國的基地。經過二十年的生聚教訓，終於擊敗澆，重建國家，這就是有名的少康中興。

少康以後，再經過十三傳，到了夏桀宮殿。還造了酒池肉林，夏桀特製一艇龍舟，和妹喜坐在舟裡，在酒池中盡興遊玩，寵愛妹喜，對她言聽計從。為了滿足她的慾望，造了一座瑤臺，高大而華麗，這是累積千千萬萬老百姓的血汗蓋起的一座。

妹喜很愛聽裂帛聲，就是用手把一疋布一條一條撕開的聲音。於是桀把宮中、民間的布全收來，撕給她聽，弄得天怒人怨。

老百姓受不了夏桀的橫徵暴斂，作了一首希望他早死的歌。到此百姓和桀已站在敵對的立場了，心全向著仁德的成湯，因此成湯革命，一舉便把夏兵打敗，桀被囚在南巢地方，夏朝就結束了。

商湯

商湯（姓子名履）因為夏桀暴虐，加以討伐，把桀放逐到南巢，從此建立了商朝，建都在西亳。一共傳了二十八主，有六百四十四年之久。到了紂王時，也因為荒淫無道，被周武王伐誅，商朝就結束了。

商湯任用了一位賢能的宰相叫伊尹，是一位了不起的輔臣。後人常用「伊尹再世」來讚美優秀的官吏。他獻給湯許多富國利民的政策，很得湯的信任，因此當湯的兒子太甲繼位時，仍然由伊尹輔佐，由於太甲不肖，結果被伊尹放逐到桐的地方。經過三年，太甲悔改了才放回來。

可見伊尹不但是良相，更是良師，對商朝的貢獻很大。

傳到第十七主盤庚時，改國號為殷，所以我們有時也稱商為殷商，這時國家又由衰轉興，由出土的古物中可

湯伐夏　國號商　六百載　至紂亡

知，商朝的各種彩陶器具已相當精美，可見文化已很進步。

到了紂王，寵愛妲己，生活荒淫無度，而且用殘忍的酷刑炮烙來取樂。炮烙就是在銅柱上塗了油膏，下面燒火，叫犯人在上面走，罪人疼痛難耐，而妲己卻大笑不已。

有一次紂王看見一位孕婦走過，便與妲己猜測：「孕婦所懷是男？是女？」為了證實，便把孕婦抓來剖腹，孕婦當場死亡。

在寒冷的冬天，紂王與妲己穿著厚皮毛衣在高樓賞景，忽然看見一位農夫赤著腳涉水而過，他們便想：「這麼冷

的天氣，穿著厚皮毛衣仍有寒意，而農夫竟能赤腳涉水，不怕冷，一定是腳與眾不同。」因此把農夫抓來，剁下腳踝研究，農夫立即斃命。

紂王如此殘虐，忠臣當然要加以勸諫了，他不但不聽，還把賢臣箕子關起來。

叔父比干不忍見國家滅亡，再三勸諫，紂王便說：「聽說賢人的心是紅的，今天我倒要看看你的心是什麼顏色？」因此逆倫剖了比干的心。

紂王又怕西伯昌（周文王）太強大，便把他騙來囚在羑里的地方，又把他的兒子殺了煮成肉湯

，拿給西伯昌喝。

各種泯滅人性的慘事，紂王都做盡了，百姓怨聲載道，最後武王弔民伐罪，攻進朝歌，紂王自焚死，從此改朝換代。

周武王

姬發誅殺紂王而有天下，國號周，建都鎬京，

周武王 ㄓㄡ ㄨˇ ㄨㄤˊ
始誅紂 ㄕˇ ㄓㄨ ㄓㄡˋ
八百載 ㄅㄚ ㄅㄞˇ ㄗㄞˋ
最長久 ㄗㄨㄟˋ ㄔㄤˊ ㄐㄧㄡˇ

接著封比干墓（封墓：於墓上加土，這是對死者的加恩禮），釋放箕子，把紂王搜括的錢財散發給百姓，深獲萬民的擁戴，因此子孫傳了三十七主，共八百六十七年，是歷史上最長久的一個朝代。

傳說周文王有一天在渭水邊，遇見姜子牙在釣魚，他的釣鉤離水三寸，意味著：「願者上鉤，不願者回頭。」他是一位賢能的人，只是未遇到明主可以輔佐。

文王一遇見他便說：「太公望子久矣。」也就是說文王的祖父一直在找一位賢能的人，來輔助治國，今天終於找到了，非把他請回去不可。但姜子牙為了考驗文王的

誠心，因此要求一國之君的文王為他拉車。

文王剛開始很是心甘情願，但越拉越累，就對姜子牙說：「我實在拉不下去了。」子牙叫他再試試看，但他勉強走了幾步，便不肯再走了。子牙只好下車對他說：「剛剛你一共走了八百六十七步，表示周朝國祚共有這麼多年。」文王一聽趕快請子牙上車，願意再拉下去，可惜天機洩漏，已無法補救了。這段故事雖然只是傳說，但也告訴我們做事要徹底，才有好結果。

其實周朝之所以享國祚這麼久，除了開國君主文王、武王是聖人之外，他們還有三位女聖人叫三太，就是太姜、太任、太姒，他們是婆媳三代，各個誠莊恭敬，

行為處處合於道德規範。例如西伯昌（文王）之妻太姒，西伯昌用心治理國家朝政，太姒則治內，把皇宮內院治理得井井有條，使得西伯昌無後顧之憂，因此德政流布，教化大興。

再如文王的母親，本來就是一位貞靜

淑女，一旦懷胎，更是坐立必正，目不視惡色，耳不聽惡聲，食物割不正不食，一切舉止規規矩矩。文王在母胎中，受到了最好的胎教，因此才成為聖人，也才有周朝八百多年的歷史，我們常說：「偉人的後面，都有一位偉大的女性。」正是指周

朝的三太。我們也常稱呼自己或別人的妻子為太太，正是期勉著向三太看齊。

古德說：「教女為齊家治國之本，治國平天下之權，女人家操得一大半。」可見女性的重要。因為妻子可以幫助丈夫，母親能胎教子女，而且子女初生後數年，每天都在母親身邊，親受母親的教化，性情在不知不覺中被母親轉化，因此賢母便可以教出賢子賢女，影響實在太大了。

由此可知，周朝八百年的天下，八成以上得力於三太，所以千萬不可忽視女性的力量。女性更要看重自己，努力做個賢女、賢妻、賢母。

周朝

自平王東遷，建都於洛陽，號曰東周。從此綱紀不修，國家的法度不振，諸侯國為了擴張自己的勢力範圍，天天動干戈打仗。遊說之徒也趁勢而起，或者是為了弭平兩國爭端，或者是挑起雙方的戰火，絕大多數則是為了個人一己的私利而奔走。戰國時代的蘇秦做了六國的宰相，就是靠那三寸不爛之舌起家的。

西周幽王寵愛褒姒，把王后打入冷宮，廢了太子，更為了博褒姒一笑，亂點烽火戲弄諸侯。後來申侯聯絡

周轍東

王綱墜

逞干戈

尚游說

外族犬戎，帶兵圍住鎬京，幽王再點烽火，諸侯以為又是開玩笑，都不來救了。最後幽王死在亂箭之下，褒姒也在動亂中吊死了。

犬戎兵在鎬京殺人放火，申侯攔阻不了，只好寫信向晉國、衛國、秦國求救，三國聯兵才把犬戎趕出鎬京。鄭國公子掘突迎太子宜臼回國即位，成了周平王。平王眼見鎬京被燒得殘破不堪，只好把首都遷到洛陽去，這就是「平王東遷」。

東遷後的王畿土地（王都的疆土是京城周圍五百里內的田地）削減了一大半，周王的地位一落千丈，成為一個有名無實的共主。各諸財源、兵力也大大的減少，

侯國乘機自行擴張領土，相互爭取成為領導諸侯的霸主，因此戰爭頻繁，誰也制止不了，這是一個講求強權的時代。舊有的封建制度（註）已經結束，從此進入春秋、戰國時代。

春秋、戰國時代的特色之一，就是說客特別多，其中也不乏像孟子、墨子這樣為宣揚仁義、兼愛思想而奔走的賢人，但大多是鑽研一些兵書、策書，以便遊說時能隨機應變，對答如流，爭取君主的青睞，謀個一官半職的投機者。至於真正治國平天下的抱負與能力，卻一點也談不上。

（註）封建制度：天子把爵位和土地分封諸侯，讓他們各自建立國家。爵位分公、侯、伯、子、男五等。土地有則百里

（公、侯）、七十里（伯）、五十里（子、男）之別。

東周

剛開始是春秋時代，這是以孔子所著春秋為期，孔子絕筆之後，就叫戰國，諸侯不再畏懼孔子一字褒貶的春秋之筆，因此更加膽大妄為，戰禍連年不斷，所以叫戰國時代。

他的國君實行「王道」，但時

始春秋
終戰國
五霸強
七雄出

春秋、戰國時代，五霸、七雄各據一方。五霸是齊桓公、晉文公、秦穆公、宋襄公、楚莊王。七雄是咸陽秦王、襄郢楚王、營邱齊王、幽州燕昭王、穎川韓王、邯鄲趙王、大梁梁惠王。

孔子周遊列國的目的，是想幫助重用

勢所趨，各個國君都喜歡速成的「霸道」，他只好黯然

回到魯國。

什麼是霸道呢？就是把持天子的政令，糾率同盟的諸侯，居於領導的地位，行事崇尚權術。濟弱扶傾的目的，也只是為了贏得各國的畏懼與擁戴。

霸主因為是以勢服人，所以數十年後，霸主一旦去世，就由另一個更有勢力的諸侯起來替代，這正是霸道與王道大不相同的地方。王道不會因一人的去世，而影響諸侯及人民對他的崇敬。但因為當時的人心胸狹窄，只求眼前利益，貪圖短暫的榮耀，所以才捨王道行霸道。

齊桓公是春秋時代的第一位霸主，他不計前嫌，任用了對他有一箭之仇的管仲。管仲對內獎勵農商，對外實行「

「尊王攘夷」（註）的政策，使得齊國一天天強盛，終於稱霸諸侯。

管仲去世前勸齊桓公不要任用豎刁、易牙、開方三個小人，但桓公一旦離開他們便吃不好，睡不穩，只好再把他們叫回來。桓公病重時，被他們三人在寢宮外築起三丈高牆，打算活活把他餓死，直到他身上長滿了蛆，蛆爬到牆外，才被人發現他已死了。這就是一代霸主的下場。

其他的四霸、七雄，小朋友可以由歷史書上查出他們的

事蹟，一個個的故事，不止是由弱而強，再由盛而衰，其中都牽扯著複雜的因果關係。小朋友多看歷史，便會了解因果的可怕並深信因果是絲毫不爽的。

（註）「尊王」是尊敬久不被列國尊重的周天子；「攘夷」是幫助列國對抗入侵中原的蠻族。

秦始皇

姓嬴名政，他兼併了六國（齊、楚、燕、韓、趙、魏），只傳了兩世，就演變成楚霸王項羽及漢高祖劉邦爭天下的局面。

荊軻刺秦王失敗後，秦王大怒，帶領大軍到燕國報仇，殺了燕太子丹。緊接著秦國像秋風掃落葉般，滅了魏、楚、燕、齊，統一天下，結束了戰國時代。

秦王統一天下後，覺得自己比三皇五帝還偉大，所以給自己取個「皇帝」的稱號，又因為他以為天下將由子孫傳到千萬世，所以他是「始皇帝」。

秦滅了六國，但六國的後代並不甘心是秦國第一個皇帝，他

嬴秦氏
始兼幷
傳二世
楚漢爭

，因此秦始皇用高壓鎮暴的手段，不許民間擁有兵器，把兵器沒收，鑄成十二個金人。又命令全國的富豪都搬到首都咸陽，以便就近管理。更怕讀書人用言論批評政府，因此焚書坑儒，企圖把人民變成愚民，才好控制。又耗費人力、財力興建宏偉的阿房宮，讓自己享受。

像這樣的高高在上，唯我獨尊的日子，誰不想永遠保有呢？所以他夢想成仙，求長生不死。有一位想藉此圖進的盧生，便假冒得了仙書，呈給秦始皇看，書中有一句「亡秦者胡」，秦始皇心想：「將來要亡我秦天下的是北方

的胡人，不如先把他們滅了。」於是派蒙恬帶兵北伐匈奴，又把燕、趙、秦三國的舊城，一體修築，成為「萬里長城」，所耗的人力、

財力無從算起，人民的困苦可想而知。孟姜女萬里尋夫哭倒長城的故事，就是描寫當時人民被徵調修築長城，骨肉流離分散，客死異鄉的慘況。

秦始皇去世，皇位傳到少子二世之手，更是變本加厲。他聽從趙高的計謀，屠戮兄弟，總計秦始皇子女三、四十人，都被胡亥殺光了，真個「祖宗作惡子孫償」！

胡亥仍仿效始皇，調發民夫出塞，防止胡人南下，為了這一道苛令，致天下變亂。

先有陳勝、吳廣二人揭竿而起，反抗暴秦，後來項羽、劉邦相繼起義。胡亥被趙高逼死，趙高本想自己篡位，但恐中外不服，只好將公子子嬰抬舉上去，公子子嬰殺了趙高三族，向劉邦投降，把秦天下拱手奉獻。

其實誤國的不是子嬰，而是秦始皇和胡亥。「亡秦者胡」指的正是胡亥啊！

秦亡了，接下來是楚漢爭天下的局面，這又是一段非常精采的歷史故事。

楚漢

相爭的結果，漢高祖劉邦獲得勝利，建立了漢天下，這是

高祖興

漢業建

至孝平

王莽篡

歷史上第一位平民皇帝。數傳到孝平帝，因年紀幼小，王莽假裝為攝政王，後來篡位改國號曰「新」。

項羽是楚國下邳人，世代為楚將，力大能扛鼎。他帶領江東子弟打天下，結果劉邦先攻關中「秦首都」，項羽不服，與之強爭，後來進了咸陽，放一把火燒盡秦宮，殺了子嬰，自稱西楚霸王，弒義帝於長江中。（註一）項羽不修德行，專以威力服人。剛愎

自用，不肯接納部屬的意見。也不懂用人，因此，本在他麾下的韓信也跑去投靠劉邦，反過頭來與他對抗。

幾經周旋，項羽最後被困在垓下，糧食已盡，楚歌四起，兵將紛紛逃去。張良勸劉邦乘饑而擊，這

時項羽只剩親兵八百，突圍向南走，到了烏江，有亭長泊船岸邊，請項羽渡江過去，項羽笑曰：「我與江東子弟八千人，渡江西行，如今無一人還，縱使江東父老可憐我，肯再扶我為王，但我有何面目相見呢？」說完，自刎而死，楚亡，從此天下歸劉邦一人所有。

漢高祖劉邦，沛縣人，以平民起兵，寬仁大度，知人善任，漢朝開國三傑就是他懂得用人的明證：張良有運籌惟幄，決勝千里之才；蕭何鎮國家，撫百姓，運糧餉源源不絕；韓信有統兵百萬，戰必勝，攻必克之能。有這三人為他打天下，自然勢如破竹。

劉邦進入關中後，稱漢王，與百姓約

法三章：殺人處死，傷人及盜，抵罪。並將秦訂的苛法，一律除去。當地父老豪傑，聽了心喜，再三拜謝，劉邦因此深得人心，終於滅羽而建漢業。

漢高祖的孫子漢文帝，就是二十四孝中親嘗湯藥的孝帝。他被緹縈救父的孝心感動，廢了肉刑。文帝時，禮樂復興，國家大治，與景帝合稱文景之治，是歷史上有名的盛世。

人杜吳殺死，眾軍又亂刀砍殺，懸首示眾，百姓恨莽入骨，於是將莽舌割下，切作數片，大家分了吃，死況悽慘，至今仍然遺臭萬年。

（註一）弒：下殺上的意思。這是大惡，罪大莫贖。

到了第十一主平帝時，被王莽篡位。

王莽是元帝王皇后的姪子，對王皇后孝順有加，又善於巴結施恩，贏得宮裡宮外都說他是第一好人，誰知他陰謀詭計，就是為了竊得漢家天下。後來弒平帝，廢孺子嬰，西漢遂亡，總計前漢有十二主，共二百一十年。

新莽篡位後，法令繁多，盜賊紛亂。最後他自己也親殺子孫，可謂人間慘劇。僭位十八年，後被商

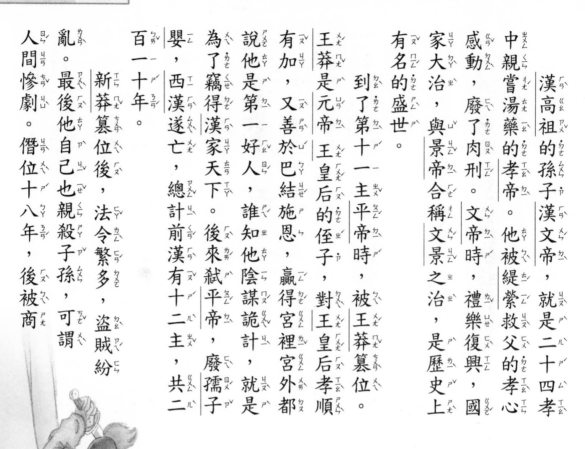

光武帝

漢，復興漢室，自此稱為東漢，傳了十三主，兩漢共四百三十九年，到了獻帝，為曹操所挾制，後來曹丕篡位，東漢亡。

光武帝劉秀是漢景帝七世孫，長沙定王劉發的後代，於王莽末年起兵，要討滅王莽，索還漢室江山。

劉秀身材高大，美髯濃眉，大口高鼻，長相與眾不同。幼年喜耕田，他的大哥劉縯獨有大志，常笑他是個耕傭，劉秀也覺耕田不是辦法，因此到都城求學，勤習尚書。有一回至友人家，其中一人會算命，說劉秀將來會當天子，大家都笑了，而劉秀卻說：「怎見得不可能呢？」

劉秀二十八歲時，幫助兄長劉縯起義，與莽兵對抗，屢獲戰績，投附的兵士越來越多，為了統一，諸將選了一位庸懦無能的劉玄為漢帝。

光武興　為東漢　四百年　終於獻

在昆陽一戰，奠定了勝利的基礎，劉秀兄弟威名日盛。劉玄畏懼，用計把劉縯

害死，劉秀心傷，但又不敢動聲色，劉玄見他如此，反而覺得心慚，於是封他為武信侯。

待攻下洛陽，劉玄命劉秀整修洛陽宮府，待修成，劉玄擇日進宮，當時三輔吏士迎接劉玄，見他的部下服裝近似婦人，莫不暗中竊笑。再見了劉秀的部屬，都心喜說：「沒有想到在今日，又看見漢官威儀。」從此人人歸心劉秀，而不歸劉玄。

後來劉秀得到鄧禹之助，掃平諸亂，登基為光武帝。劉玄則因懦弱無能，毫無建樹，猜疑心又重，終被部下擠落馬，用繩縊死，當了兩年的過度皇帝，就此結束。

光武帝定都洛陽，直柔為治，深鑑亡

國之過，小心治國，頗有一番中興氣象。

傳至明帝，崇尚儒道，建雲臺，圖畫三十二將遺像，表著千秋。

有一日明帝夜夢金人，博士傅毅進言曰：「此或是佛的幻影。」於是明帝遣郎中蔡愔、秦景往天竺（印度）求取佛經，佛教因此傳入中國。

帝位更次傳到獻帝手中，氣數已盡，國家大亂，群雄蜂起。曹操把獻帝遷到許都，擅自把持朝政，弒皇后及二位皇子。曹丕接著廢帝為山陽公，正式篡位，天下成了割據的局面，三國演義即將登場。

魏國

曹操，蜀國劉備，吳國孫權，都想爭得漢家天下，這時稱作

魏蜀吳

爭漢鼎

號三國

迄兩晉

三國時代，後來由司馬炎統一天下，是為晉朝。又因五胡亂華，把國都遷到江南建康（今江蘇省江寧縣），稱為東晉。

魏主曹丕，是曹操的兒子。曹操乃一代奸雄，他曾說：「寧我負天下人，不許天下人負我。」由此可知，他心腸有多狠毒了。

曹丕也是殘忍之至，為了皇位，不惜殺戮手足。曹植是他的弟弟，不限他在七步內作成一首詩，否則要殺了他。植在情急之下七步成詩，才免於被害，但也從此被幽閉。

後來曹丕的子孫，也被司馬炎用當年曹操迫漢獻帝的方法給害了，真是一報還一報，因果可怕啊！魏共傳

了五主，四十六年。

蜀主劉備是漢景帝的後代，都成都。與關公、張飛在桃園三結義，有此二勇將輔翼，加上三顧茅廬，請得諸葛孔明相助，更是如魚得水，終於打得三分之一的天下。

劉備死前託孤孔明，孔明鞠躬盡瘁，死而後已。但劉阿斗不成材，扶不起，貪圖享受到了「樂不思蜀」的地步，終於投降晉朝而滅亡。共傳了二主，四十三年。

吳主孫權，都金陵，他能舉拔賢能的人來任用，因此力量也不弱。他有一名部將周瑜，才華橫溢，蜀吳兩國曾聯兵對抗曹

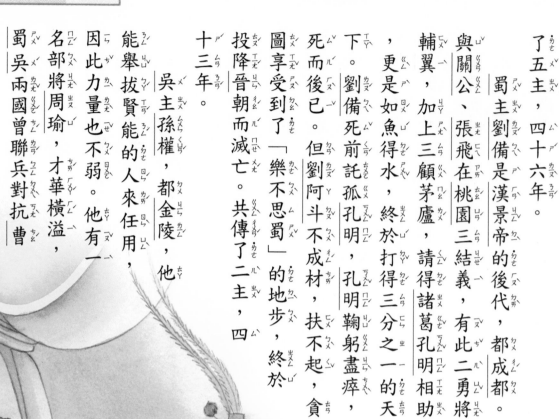

軍，周瑜深知孔明才能，因此很妒嫉，曾多次為難他，但孔明都能迎刃而解，使得周瑜不禁發出「既生瑜，何生亮？」的感嘆！這正表示周瑜心量狹窄。吳傳到第四主孫皓，投降晉

朝，吳亡，共五十二年。

三國的故事很精采，人物鮮活：孔明的神算、關公的義氣、張飛的豪邁、曹操的奸詐……交織成複雜的歷史，小朋友可以買兒童版的三國演義來看，就更清楚了。

晉朝開國皇帝司馬炎是魏國宰相司馬師的兒子，受到魏末主曹奐的禪位，最後統一天下，大封功臣，釀成日後骨肉相殘的「八王之亂」。國內動亂，外侮豈不來侵，因此招來五胡亂華，北方為胡人所據。這時有兩位晉朝偏安江南，是為東晉。

「聞雞起舞」的志士，祖逖和劉琨，立志要匡復漢室，可惜只收復了一些土地，無

濟於事。

東晉末年桓元廢安帝為平固王，自己稱帝，國號楚，劉裕帶兵討賊，藉機把持朝政，弒安帝，另立恭帝，恭帝不久禪位給劉裕，立即被劉裕殺死，晉亡，兩晉共十一主，一百零四年。

晉朝

亡了以後，宋、齊相繼立國，這時稱為

梁、陳再承接下來，這時稱為

南朝，都建都在金陵（今江蘇江寧縣）。

南朝歷史出現了許多臣弒君的情形，因此皇帝在位的年限相當短，有的甚至不超過一年，就被殺了，可以想見當時有多亂了。下面分述各朝情形：

南宋高祖劉裕，受晉恭帝禪位而有天下，清廉節儉。傳下詔去除濫設的祠廟。傳至少帝，在居喪期間不守禮法，被廢為營陽王。文帝即位，被太子所弒。數傳到順

帝，被蕭道成所廢，後來又命衛士把他殺了，南宋亡，共八主，六十年。

南齊高祖蕭道成，在南宋時，屢建奇功，被封為齊王，為人有大度量，博學能文，性情尤其清儉。傳給武帝，處事嚴明，有決斷力，世稱為齊良主，鬱林王

宋齊繼

梁陳承

為南朝

都金陵

繼位，喜歡穿著便服到街上去玩賭博遊戲，被西昌侯所弒。海陵王繼位，又被西昌侯廢而弒之。西昌侯即位為明帝，殘滅骨肉，心腸凶惡。東昏侯、和帝又相繼接位，蕭衍廢和帝，齊亡，共七主，二十四年。南梁武帝蕭衍，為人慈孝，敦睦九族，愛惜朝士，博學能文。在獨處時仍然衣冠整齊，就是大熱天也未曾脫下衣服。從不飲酒，崇尚佛教，曾至同泰寺捨身供佛。後來被侯景餓死在臺城。簡文帝立，又被侯景害死。元帝被魏人殺死，敬帝被陳霸先所殺，南梁亡，共四主，五十六年。南陳武帝陳霸先，為政寬簡，性情儉素，皇后宮女沒有戴金翠這些裝飾品。他曾在莊嚴寺捨身供佛。傳位給明帝，清明節儉，有乃父之風。到了臨海王即位，懦弱無能，被叔叔宣帝廢了。後主陳叔寶荒淫無度，酖飲達旦，也不祭祀天地。楊堅帶兵來伐，數他有二十條大惡，最後他自投於井，陳亡，共五主，三十二年。

北朝

的魏，後來分為東魏、西魏。東魏禪位給建齊朝的高洋，西魏則禪位給建周朝的宇文覺。

數傳到孝文帝，生性純孝，曾為父王親吮瘡癰，又能友愛兄弟，平素手不釋卷，好賢樂善，制禮作樂，禁止百姓說胡語，而且改中國姓，姓元，因此北魏又稱元魏。他在位時，把胡人全面漢化，教胡人學習中華文化。又數傳到節閔帝，為高歡所弒，立了孝武帝又逃走，後來又立了孝靜帝，因此分為東魏、西魏，共傳了十君，

北魏道武帝拓跋珪，是鮮卑族的索頭別部人，漢朝將軍李陵（註一）的後代。務農為業，百姓得以休養生息。改國號為魏，自稱王，後來稱帝，建立天子旌旗，出入警蹕（註二）。也有祭祀及禮樂。還讓官吏百姓束髮戴帽，更設立專官來興辦學校。到了晚年被兒子拓跋紹趁夜晚越過牆來把他弒了。

北元魏
分東西
宇文周
與高齊

一百四十九年。

東魏孝靜帝很會射箭，也喜歡文學，有人認為他有北魏孝文帝的風範。在位十六年，禪位給高洋，第二年，被高洋毒死，屍體投入漳水，東魏遂亡。

西魏孝武帝被宇文泰毒死，傳位給文帝，政事全由宇文泰決定，文帝只是保全其身而已。又傳位給廢帝，廢帝想除掉宇文泰，但事機不密，反而被廢，不久被弒。傳位給弟弟恭帝，後來宇文護又迫他讓位給宇文覺，不久也被弒，西魏亡，傳了四主，共二十三年。拓跋。

北齊文宣帝高洋數傳帝位到幼主，與北周打仗，大敗，被擒殺，周盡滅其族人。北齊亡，傳了六主，共二十八年。

北周閔帝宇文覺數傳至靜帝，楊堅把政，廢了靜帝又弒之，滅宇文族，北周亡，傳了五主，共二十八年。

由上面的歷史，小朋友是不是體會到因果的可怕了？試看，北周、北齊怎樣滅別人的國家，別人也怎樣滅他。

（註一）李陵：漢朝飛將軍李廣的後代，因戰敗而投降匈奴，他曾勸蘇武投降，蘇武不肯。

（註二）警蹕：天子出入時，在所經過的道路上清道警戒。

到了

隋朝，統一天下，結束南北朝混亂的局面。可是只傳了三代，就亡國了（註一）。

隋文帝姓楊名堅，他廢了北周靜帝自立為王，建都長安，經過九年，滅了南朝的陳國，才南北統一。

隋文帝勤於政事，日夜不倦。如果聽到百姓吃得不好，便責備自己無能。他從不喝酒吃肉，生活儉樸，宮女嬪妃穿的都是經常洗濯的衣服。他也獎勵百姓勤耕種，並減輕百姓的勞役及賦稅。建國之初，文帝的確是位好國君，但晚年卻被妻子及奸臣、逆子所誤，做了許多糊塗事，影響隋朝的國運。

迨至隋　ㄉㄞˋㄓˋㄙㄨㄟˊ

一土宇　一ㄊㄨˇㄩˇ

不再傳　ㄅㄨˋㄗㄞˋㄔㄨㄢˊ

失統緒　ㄕㄊㄨㄥˇㄒㄩˋ

獨孤皇后謙恭儉約，愛好讀書，只是愛吃醋，不許文帝親近宮娥，因此也最恨他人寵妾忘妻，平時要是聽到那個王爺置妾，或懷孕，就勸文帝加以懲誡，甚至免官。

太子楊勇的元配末生育，而妃雲氏卻生了三子，且太子又很寵愛雲氏，正犯了獨孤后的忌。

詭計多端的晉王楊廣，有心爭奪太子位，知道母后心思，因此巧為迎合，與妻子蕭妃日夕同住。當文帝和皇后駕臨時，只留老醜婢僕充當役使，自己與蕭妃皆穿著敝繒（註二）。樂器任積塵埃，毫不拂拭。文帝、皇后看了很滿意，因此種下改立楊廣為太子的因，後來又經皇后及楊素一再數說楊勇的過錯，終於廢太子為庶人（百姓），改立楊廣。

楊廣趁文帝晚年病重弒父自立為王，是為隋煬帝，父一死，馬上接收兩位年輕

的庶母為己有，可謂禽獸不如。

煬帝本來居長安，後聽信相士言長安地理不利於他，因此另建洛陽宮，宮內花木多由江南移來，頗覺不足，且早聞六朝金粉之盛，因此徵二百萬民伕挖大運河，以便常到江南巡遊。他逸遊無度，生性驕淫，又常征伐，弄得民不聊生，導致楊玄感倡亂，盜賊充斥，天下大亂。

煬帝寵信楊素及宇文化及，此二人皆有篡位意。煬帝後為宇文化及所弒。李淵入關，立恭帝，不久被廢為酅公，後來因病薨（註三），隋朝的統緒全失，傳了三主，共三十八年。

（註一）「不再傳」是不傳第二次的意思，但隋傳了三主，第三主恭帝在位時

間太短，因此往往被忽略了。

（註二）敝繒：壞的絲織品。

（註三）薨：諸侯死曰薨。

唐朝

（指的是軍隊）掃除隋朝的暴亂（師高祖李淵，帶領仁義之師

，創建了唐朝的國基，傳了將近三百年，直到梁朝朱溫滅唐，國祚才改立。

李淵的父親李昺世襲為西涼公，妻子獨孤氏就是隋文帝獨孤皇后的妹妹，因此與隋朝王室關係密切。李昺逝，李淵承襲爵位，後因打敗起兵作亂的楊玄感，更得煬帝的信任，即使後來謠傳「桃李子，有天下。」說李姓將會得天下，煬帝也不曾懷疑到李淵身上。因此李淵得以穩定壯大聲勢，最後奪

暴亂，創建唐朝三百年的鴻基，這一部分的歷史可參看《隋唐演義》。

唐高祖　起義師

除隋亂　創國基

二十傳　三百載

梁滅之　國乃改

得皇位。

隋朝末年有許多自稱為王的小國，李淵有次子李世民的佐助，終於平定了

李淵本來是立長子建成為太子，但李世民建功多，建成與弟元吉便聯合起來要除掉李世民，豈料李世民手下能人甚多，建議先發制人，因此在玄武門把兄、弟二人殺了，李淵不得已只好立世民為太子。

李世民即位是為唐太宗，他雖以不法謀得王位，但即位後卻

是一代賢君，安內攘外，四海昇平，稱為貞觀之治，是中國歷史上有名的太平盛世。

高宗繼位後，作風與乃父差不多，無奈專寵武則天，最後弄得唐朝江山被武則天所據，改唐為周，自稱帝，是中國歷史上第一位女皇帝。她淫亂異常，醜聞四傳，但處理朝政卻能明斷果決，也懂得任用良臣狄仁傑，因此國家還算強盛。

晚年聽從狄仁傑的建議，復立中宗，自此天下又歸唐朝。中宗后韋氏淫亂不堪，也仿效武則天，想當女皇帝

，竟毒死中宗。由上可知唐朝女禍非常嚴

重。

中宗後是睿宗，再傳給唐玄宗，玄宗

初年還算留心國家政事，頗有一番中興

氣象，稱為開元之治，晚年寵愛楊貴妃，

進而信任胡人安祿山，導致山河色變，玄

宗倉皇逃至四川。幸賴郭子儀向回紇借兵

，才救平亂事，但唐朝經此一亂，元氣大

傷。

以後幾位皇帝已沒多大作為，宦官及

藩鎮的問題層出不窮。而唐武宗時又毀佛

像鑄錢，令僧尼歸俗，所造罪業甚重，加

速唐朝的滅亡。

唐朝末年，又有黃巢之亂，所到之處

，殺人盈野，國運奄奄一息。傳到哀帝，

年幼無知，寄命於朱溫，卻被他所害，唐

朝遂亡，共傳了二十主，二百八十九年。

朱溫建國號為梁，從此進入五代史

梁、唐、晉、漢、周五個朝代，皆有所由來。為了與前面朝代有所區別，因此另加一「後」字。

後梁太祖朱溫，本是村野無賴，因家貧無以為生，因此與二哥投靠黃巢，屢次建功，成為黃巢的左右手。後來背叛黃巢歸唐，唐朝把他視為忠臣，誰知他後來竟篡位。

朱溫淫虐不堪，與兒子友珪之妻苟合，致被友珪弒死，王位傳給三子友貞，友貞在位十一年，後唐兵攻入梁，他獻出國寶投降，自焚而死，後梁亡，二主共十七年。

梁唐晉　及漢周　稱五代　皆有由

後唐莊宗李存勗，性情驕矜，專寵劉夫人，為取悅她，常臉上傅粉，與伶人演戲取樂，不關心朝政，釀成將士怨叛，中亂箭而死。傳位給養子李嗣源，是為明宗，他本來就無心當皇帝，因此也不興兵打仗，人民得以喘息，穀物年年豐收。在位八年，堪稱小康。

傳位給閔帝，被潞王廢為鄂王，又將

之毒死。潞王自稱帝，是為廢帝。有一次

喝醉酒，對妹妹（也就是部下石敬塘的妻

子）說：「你才回來京城，又急著回去，

是不是要與石郎謀反啊？」一句醉語，迫

使石敬塘向契丹借兵叛變，廢帝自焚而死

，後唐亡，傳四主共十三年。

後晉高祖石敬塘是後唐明宗的女婿，

割燕雲十六州給契丹，還稱臣、稱子，才

借兵滅了後唐。到了出帝時，聽從臣子的

意見，向遼稱孫不稱臣，引發遼主的怒意

，舉兵攻入汴京，把出帝捉去北方，封他

為負義侯，後晉亡，傳了二主，共十一年

。

後漢高祖劉知遠，在晉朝任何東節度

使，後因中原無主（此時中原為遼王耶律

德光所據）民不聊生，大家都希望趕快

驅逐遼（契丹）兵，因此共推劉

知遠為天子，以安定天下。剛開

始仍稱晉朝，後改為漢。他雖

以正當方法得國，但無

功於民。傳至隱帝，素

性驕縱，國家綱紀蕩然

無存，後來武將郭威被

讒，只好稱兵入朝，隱帝親自帶兵防禦，敗戰逃走，被臣子郭允明所弒，後漢亡，傳了二主共四年。

後周太祖郭威初以清理君側為名，出兵入漢京，欲立後漢高祖之姪贇為帝，在入京途中將之廢為湘陰公，繼而弒之，遂篡漢而有天下。

郭威崇尚節儉，及崩，遺令養子柴榮用紙衣瓦棺下葬（也免去盜賊挖墓之患）。

柴榮繼位稱為世宗，親自帶兵征伐諸國，武功卓著。為人賞罰分明，並且深知民間疾苦，興利除弊，是五代中最英明的君主，可惜征遼時患病去世，年僅三十九歲。傳位給年僅七歲的恭帝，孤兒寡婦柔弱可欺，又無親信大臣，終於被迫禪位給趙匡胤，後周亡，傳了二主共九年。

五代之外，另有十國，中國不統一，可說是歷史上最亂的時代，樂得外族乘隙而入。我們當以歷史為殷鑑，全國團結合作，才不會招來外侮。

趙匡胤

炎宋興
受周禪
十八傳
南北混

建立了宋朝，是因為接受後周的禪位，一共傳了十八主。宋朝也有北宋、南宋之別。

宋太祖趙匡胤跟隨周世宗南征北討，當周世宗駕崩，他假言契丹入侵，帶兵抵禦，軍隊走到陳橋時，部下高懷德忽取出黃袍披在趙匡胤身上，眾將一齊下拜，高呼萬歲，因此順理成章的回京，派人請年幼的周主自行禪位，於是登基稱帝。

宋太祖本身因兵將擁護才得位，他也怕部下又擁立另一個皇帝。因此有一次宴請幾位擁有兵權的大將，在飲酒之間，說出自己的感傷，這些大將為表示忠心，翌日紛紛上朝解，去兵權，這就是「杯酒釋兵權」的故事。

宋太祖不講究武功，只提倡文治，對文官非常敬重（難怪宋亡時，許多文人為國效命）。因此，文人抬頭，人人爭相以讀書來求取功

名，導致國家異常衰弱，一旦外族入侵，總是打敗仗，只好割地賠款，稱臣求和。

太祖崩，傳位給弟趙光義，是為太宗。四傳到神宗，他很希望有所作為，於是任王安石為相，實行新法，新法內容雖不錯，但王安石辦事太急切，未能按部就班，令老百姓無所適從，加上用人不當，導致怨聲載道，變法失敗。

神宗傳位哲宗，再傳徽宗，他酷愛藝術，在書畫上有很深的造詣（他的作品收藏在臺北故宮博物院）。但他卻不是一位好皇帝，寵信奸臣蔡京，陷害忠良，又迷信仙教，在大內遍建道宮，浪費公帑，弄得國家元氣大傷。

後來徽宗竟聯金攻遼，宋朝無功，金人獨力滅了遼國，又找藉口南侵，徽宗為表示罪在自己，因此傳位給欽宗，奈何欽宗相信李邦彥的話，主張議和，金人提出嚴苛條件，要索金五百萬兩，銀五千萬兩，牛馬萬頭，布萬匹，光是籌措這些就已令宋朝疲於奔命了。

雖搜括民間，所得仍然無幾，欽宗只好親至金營求情，不獲允許。第二次再去，便被拘住，作為索交金帛的押券，但宋朝所獻仍不足，於是把徽宗、太后、諸妃公主駙馬，一律押行，到了金都

，金主封徽宗為昏德公，欽宗為重昏侯，過著苟延殘喘的日子，二人俱崩於五國城，一直不能南回，這就是昏君的下場。

至此北宋共傳了九主，一百六十七年。

南宋高宗名構，是徽宗第九子，最初封為康王，曾在金國作人質。當欽宗命他至金營議和，他知時勢已去，此去必死無疑，於是在半路更折行到應天府，待徽、欽二帝被擄，便即帝位，是為南宋。

此時得一英雄——岳飛來效命，他主張北討收復河山，怎奈奸相秦檜主和，竟以「莫須有」的罪名，害死岳飛父子。

數傳到度宗，他耽於酒色，不理朝政。天目山忽山崩，此乃亡國之兆。傳位給四歲的恭帝，竟投降於元兵，被廢為瀛公，元主又叫他出家，再派人殺了他。

端宗即位，文天祥來奔，帶兵抗元，不幸戰敗被捉，誓死不投降，在獄中作「正氣歌」，慷慨就義。

元兵進逼，宋軍連連失利，最後陸秀夫負昺帝投海，宋亡，傳了九主，一百五十年。

綜觀宋史，真是「得國由小兒，失國由小兒」，冥冥之中自有因果在，吾人行事豈能不慎？

遼國

遼，與金國都自稱帝國，金國滅了遼國。天祚帝四處逃竄，被金國將軍要室追上，活捉而去，不久將他殺死，遼亡，傳九主，共二百一十年。

金太祖姓完顏名阿骨打女真，又改為金。金太祖的弟弟曾率兵攻陷汴京，捉徽、欽二帝北去。金數傳到哀帝時，宋、元聯兵攻金，城破，哀帝自縊而死，金亡，傳了十世，共一百一十七年。

遼，元又滅金國，接著斷絕了宋朝的命脈，建立了大一統的元朝。土地廣大，超越前代，但只傳了八十九年，國家就亡了。

遼太祖姓耶律名阿保機，於唐德宗貞元元年稱帝，國號契丹，後又改稱遼。傳了九主，到天祚帝，因宋朝聯合金國滅遼國，但因宋弱而由金人獨力滅

元太祖鐵木真幼年喪父，其父也速該本是酋長，一旦亡故，部下叛離，孤兒寡

遼與金　皆稱帝

元滅金　絕宋世

興圖廣　超前代

九十年　國祚廢

母總遭人欺。但鐵木真兄弟五人和睦相親，凡事皆群力完成，待長大，勢力漸成，收復各部，滅了乃蠻後稱帝，自稱「成吉思汗」。曾西征西域，孫子拔都更西征到歐洲、蘇俄境內。到了成宗鐵木耳，滅西遼、金與宋，建立了擁有廣大領土的蒙古帝國。

宋亡元興，這是中華民族第一次淪入外族的統治，過著被歧視的日子，加上蒙古兵凶狠如猛虎，百姓不堪其苦，日子一久，元朝氣衰了，元順帝又不理朝政，委政給鐵木兒，內外皆亂，以致群雄併起，各據一方。

北方諸將，自相爭戰，南方卻出了一位吳國公朱元璋來，他廣徵人才，招募兵士，掃蕩群寇，所經之地，絲毫無犯，人心相率歸向，望風投誠，漸成氣候，因此稱帝。

稱帝後，朱元璋下詔伐元，命徐達為征虜大將軍，連戰皆捷，元順帝無法可施，只得與后妃、太子妃向北逃亡，城破，元亡。元自太祖開國，至順帝北奔，共計一百六十二年。自元世祖（忽必烈）統一中原，至順帝亡國，只有八十九年。

明太祖

朱元璋，建立大明朝，建都在金陵，

太祖興　國大明

號洪武　都金陵

迨成祖　遷燕京

十六世　至崇禎

闖禍後　寇內訌

闖逆變　神器終

年號洪武，建都在金陵（南京）。到了成祖時，把皇都遷到燕京，共傳了十六世到崇禎皇帝。明朝官官專權為亂，明末又有許多流寇造反，其中李闖王更攻進京城，迫使崇禎帝自縊，明朝遂亡。

朱元璋幼年家貧，投皇覺寺為僧，後四處行腳，吃盡苦頭。

元末盜賊蜂起，朱元璋不久娶郭子興義女馬氏為妻，得助更多。朱元璋陸續募乃投靠郭子興麾下為親兵。

了許多英才，漸成一般勢力，於是南征北討一十八年，剿平群寇，始成一統。待徐達攻陷元都，順帝北遁，元亡，朱元璋下詔以應天府為南京，至此真正是明朝的天下了。

明朝初建，朱元璋卻濫殺功臣，太子標，性仁恕，

郭子興病逝，元璋被推舉為主帥，於是南征北討

見朱元璋誅殺群臣，屢勸無效，遂憂鬱而終。太祖在位三十六年崩，傳位給孫子建文帝。

建文帝本是個優柔寡斷的人物，對各地藩王常存疑忌，後聽信侍臣讒說燕王棣智慮過人，將來恐怕生變，因此建議削減諸藩，逼使燕王抗命起兵南下，建文帝兵敗出宮，奔雲南出家，燕王在燕京即位，是為成祖。

成祖起兵之前，多由宮中宦官來通風報信，以致成功。因此即位後，對宦官大肆封賞，還派宦官出使各地，偵察外情，且懷疑建文帝逃亡海外，因此派宦官鄭和下西洋七次，表面上是宣揚國威，暗地裡是為了尋找建文帝的下落。

因成祖信任宦官，以致子孫因閹禍而亡國。如英宗寵信太監王振，以致有土木堡之變，英宗被也先擄去，後因景宗即位，也先知無利可圖，雙方議和才放還。不久英宗復辟，廢景宗，自然也免不了一場屠殺。

明武宗（正德皇帝）寵信太監劉瑾，劉瑾肆行排擠，他又統領東、西廠，作為他陷害群賢的機關。還為武宗建豹房，令

其日夜縱樂，無暇理朝政，劉瑾方得無所忌憚，最後竟想謀反，幸及早發現，被磔死伏法。

明世宗寵信嚴嵩，神宗寵魏忠賢，皆把國家弄得烏煙瘴氣，明朝氣運漸衰。

明懷宗時流寇張獻忠、李自成造反，李自成自稱闖王，攻入京城，致思宗崇禎帝進退無路，吊死在煤山，明朝亡，共傳十六主，二百七十七年。

李賊自立為帝，還逼總兵吳襄寫信給守山海關的兒子吳三桂，勸他來降，三桂回信說：「父親不得為忠臣，子亦焉得為肖子」，表示不降，李賊怒殺吳襄。

三桂為報君父之仇，於是請清兵入關，與李賊交戰，李賊兵敗逃亡

。清世祖卻即帝位，從此中國又再次落入外族之手，直到辛亥革命，國父孫中山先生推翻滿清，建立中華民國，成為五族一

家的泱泱大國。

清朝及民國的歷史，舊本三字經上沒有，本書依新本將其補充說明附錄於後。

從｜伏羲氏到｜明朝共有二十二史，凡是帝王的世系、宗譜、姓名、始末根由，全部記在史書上。裡面記載著各朝代的安治與亂世，使我們知道國家興衰的情形。

所以讀歷史的人，須要考究歷代君臣的實際事跡，就有如親眼看見一般記錄，還要通達古往今來的，並般以為鑑，不蹈前轍，這樣才是研究歷史的精神。

欲研究中國文化，須懂中國歷史，因為「六經皆史」，若不懂中國歷史，中國文化也無法深入研究，可見讀史的重要。

廿二史　全在茲

載治亂　知興衰

讀史者　考實錄

通古今　若親目

讀史能幫助我們尋找正確的典範，進而樹立自己所要效法的目標。然而一般人

所追求的，常是外在的典範，如名利權位，這些典範並非人人可及，又受制於各種

現實條件，大多實在無法凸顯人生的真正意義。因此，我們願意強調內在的典範，由人格的完美與知識的充實著手，這是人人都可以達成，又不致引發強烈衝突的。

歷史文化是我們的寶藏，提供了無數的典範，鼓勵了青年學子的志向，一旦找到契合的典範，就該全力以赴，把典範活出來，使自己也成為典範！

同時，古人常常勉勵後生在研經之外，一定要加讀歷史，因為歷史演的就是「因果報應」，裡面所記全是活生生的事跡。如果不讀歷史，便不知因果的可怕，就不會嚴格的約束自己的身、口、意三業而漫不經心，如此不論做人、學問都不會成功。

這段

法。是說求學之人，讀書用功的方

凡是讀經、史、子、集各

類書，一定要口誦、心惟，

也就是要諷誦吟詠，心裡思

惟。如果只是口誦而心不惟

，則扞格而意思入不到心底

去。如果只是心惟而口不誦

，則神昏而志不專，早上或

許會想著這個道理，到了晚

上就不然了，因此所學的有

時會忘了。

所以讀書人，口

裡雖是誦讀書中的文句，但

心裡一定要思惟其中的道理

，而且必須從早到晚用心，

這樣日日精進

用功，必能熟記不忘，成為自己的學問。

古人說讀書

有三到：口到

口而誦

心而惟

朝於斯

夕於斯

、手到、心到。口到就是嘴

裡要念出聲，口念耳聽可以幫助記憶。我

們的耳朵其實也很銳利，聽到的話落下印

象後，就不容易忘記。再者，中國的詩文都很注重聲調的變化，所以念出聲，可以幫助自己去感受。

。不但當時要專注，而且還要時時用心思惟，日夜不放下這顆心，如此用功，學問沒有不成就的。

古人讀書很講究「諷誦涵泳」的功夫，所謂「以聲求氣」，聲誦則氣養，讀書人能否成為氣節之士，就看他涵泳功夫做得徹不徹底了。

手到是要常寫、常批、常抄。手寫雖比口念要慢，但在寫時卻加深了不少印象，所以小學生初識字，常常要寫一行半行的家庭作業是有道理的。

心到，不論讀書、寫字都要用心，心不到，心不在焉則視而不見，聽而不聞，白費功夫，所以讀書時心一定要專注

下面

將介紹古人求學的實例，不同身分，不同環境的人，通通都要求學，用以勉勵大家向他們看齊，把握機會學習。

仲尼，指的是孔子，孔子姓孔名丘字仲尼。「昔」是古代的意思。以前孔子也曾向七歲的項橐學習。故事是這樣的：

有一天項橐和小朋友在路上玩泥巴築土城，這時孔子和他的學生正好坐著馬車經過，小朋友一看馬車來都避開了，只有項橐安坐在土城中不動。孔子便下車來問他為何不避開車子？

昔仲尼　師項橐　古聖賢　尚勤學

他說：「我只聽說車子避開城而走，從來沒聽說為了讓車子過而拆掉城的。」孔子覺得他說得有理，就叫學生繞道而行了。

孔子又對項橐說：「你年雖小，懂得倒不少。」項橐便說：

「小魚生下來三天就能在江海裡面游；兔子生下三天就能跳三敢地那麼遠。而我已經七歲，當然懂很多事囉！」

孔子就問他：「既然你懂很多，那麼

什麼山沒有石頭？什麼樹沒有枝葉？什麼火沒有煙？什麼牛不生小牛？什麼馬不生小馬？」

項槖很輕鬆的回答說：「土山沒有石頭，枯樹沒有枝葉，螢火沒有煙，泥牛不生小牛，木馬不生小馬。」

孔子聽了，稱讚他很聰明。

項槖卻反問孔子說：「換我來問問您，您知道白鵝和鴨子為什麼能浮游在水上？松柏為什麼長青嗎？」

孔子回答說：「白鵝和鴨子的腳大又有蹼，所以很會游，松柏的樹心很結實，所以長青。」

項槖歪著頭說：「不對呀！烏龜很會游泳

，牠的腳雖然有蹼卻不大，竹子也是長青，但竹心卻是空的呀！」

孔子一時也答不出來，對著在旁的學生說：「這個孩子真不簡單，常識這麼豐富，我還得向他學習才對。」

孔子乃生而知之的聖人，但他仍處處求學不以為足。有一句話說：「聖人無常師。」聖人沒有一定的老師，他學習任何人的優點，向不同的人領教，所以學問自然與我們大不相同。

孔子也曾說：「三人行必有我師焉。」三個人中必定有一位可以作為我的老師，值得我向他學習的。孔子這種時時學，處處學的精神，我們應該加以效法，尤其在這知識爆炸的時代，更需要如此。

這一段

經文是說一個人即使已經當了大官，功成名就了，仍然要勤學不懈，「日知其所無，月無忘其所能」，也就是要做到今人所說的「在職進修」，進一步追求對自己的工作有幫助的學問。不是為了晉陞，而是為了工作能更順利的推展，對老百姓更有利益。下面就舉趙普的故事來說明：

趙中令是指宋朝的趙普，他做到了掌理皇帝文書的中書令這個大官，白天處理國政，晚上仍然不忘讀《論語》。

趙中令
讀魯論
波既仕
學且勤

古人讀書，有些是為了參加科舉考試，希望考中進士，求得一官半職，而趙普已經做了那麼大的官了，為什麼還要讀《論語》呢？

有一天晚上，宋太祖趙匡胤因為有國家大事，要和趙普商量，因此駕臨趙普家中。看見趙普正在讀論語，太祖很訝異的說：「論語小時候就讀過了，為什麼現在還讀它呢？」

趙普回答說：「論語中有修身、齊家、治國、平天下的大道理。以前我以半部論語助您平天下，現在以另外半部論語助您安天下。」

由此可知論語是一本最為簡要精粹，不可多得的好書，一個平民百姓讀了可以修養身心，成為正人君子；官吏讀了可以仁政治國，成為忠臣良相。

這個故事主要是告訴我們，一個大官尚且如此虛心好學，何況我們普通人，怎

能不更加勤學呢？

這一段

經文是說古代人得書不易，雖無書，卻不因此而不學，反而想盡各種辦法取得書來讀。反觀今人，在印刷術發達的今日，書本唾手可得，卻不知愛惜，也不用心去讀，與古人相比，真是太慚愧了。

西漢的路溫舒閱讀蒲草編成的書。

公孫弘則把春秋刻在竹子削成的竹簡上。他們二人因為家裡貧窮買不起書，卻知道勤勉好學，真值得我們敬佩。

西漢時代，中國還沒有發明紙，寫字都要用絹帛，所以書很貴，只有官宦世家和有錢人家的子弟才有書讀。平常

披蒲編

削竹簡

彼無書

且知勉

的百姓很少人有書。

當時有一個人名叫路溫舒，家裡很窮，因此替人放羊，但是他很想讀書。有一天他看見野地裡到處長著蒲草，靈機一動，於是把蒲葉作成本子，向別人借書來抄，這樣他就有書讀了。路溫舒這樣苦讀，後來成為一個很有學問的人。

而另一位公孫弘，他五十歲時，還在寒竹林為人放豬。他一面放豬，一面把竹林中的竹子削成竹片，再向人借來春秋經，刻在竹簡上閱讀，後來也成為一名學者。

路溫舒和公孫弘二人，後來名顯當時，貴為卿相。他們本來都無錢買書，卻如此勤苦自勉，而世間豐衣足食，容易得書者，卻不肯發憤用功，豈不是自己誤了自己。

看了以上兩個故事，小朋友除了要效法他們用功讀書之外，也要愛惜書本，因為書上有聖人智慧的精華，我們不可隨便的糟蹋，一個愛惜書本的孩子，也一定是個用功的孩子，你們說是嗎？

這段

經文是說古人苦讀的情形。

晉朝的孫敬讀書時，用繩子把頭髮綁在屋樑上，以免打瞌睡。戰國時的蘇秦，用尖錐刺大腿，來提醒自己用功，他們不用別人督促，都知道自發自動的努力勤學

頭懸梁
錐刺股
彼不教
自勤苦

晉朝的孫敬，每天用功讀書到深夜。因為怕太疲倦了會打瞌睡，因此用繩子把頭髮綁起來，吊在屋樑上，每當打瞌睡時，頭髮被扯痛了會驚醒過來繼續讀書。

戰國時的蘇秦也是一位用功的人。他

想在秦國作官，因此向秦王遊說，述說他的理想抱負，但沒有成功。他很失意的回到故鄉洛陽，身上一無所有，衣衫襤褸，因此朋友冷落他，連兄嫂妻子都看不起他。

蘇秦又氣又難過，決心把太公六韜陰符兵法徹底研究，於是晝夜勤讀，每當讀累想睡覺時，他就用尖尖的錐子刺自己的大腿，提起精神來再繼續讀。這樣日日苦讀，等到他再出來遊說時，提出了六國合縱共同抵制秦國的政策，獲得各國君主的信任，因此擔任了六國的宰相。

他們二人後來都位達卿相，名揚四海，祿享千鍾，這種結果，無非是自己發憤勤學得來的。我們這些後輩小子，享受安居溫飽的生活，又有父母、師長們的關愛和督導，應該更懂得勤學才對。

這段

經文是舉古人雖然貧窮，卻能在艱苦的環境下，繼續求學不懈的情形。

晉朝時候有一位好學的人，名叫車胤，家裡貧窮，沒有錢買油燈，晚上又很想讀書，怎麼辦呢？他想了一個

法子，就是用一只紗囊，抓

如囊螢

如映雪

家雖貧

學不輟

了許多螢火蟲放在裡面，就利用螢火蟲所發出來的微弱光線讀書。

又有一位好學的人，名叫孫康，也是家貧買不起油燈，因此在下過雪的冬夜，走到庭外去，藉著雪地反射

的銀光讀書，通宵不睡，徹夜勤讀。

這兩個人，家雖貧窮，卻勤學不輟，

後來都成了有名的讀書人。反觀我們現代人，生活過得好，食、衣、住、行樣樣俱全，卻只圖享受，自暴自棄，不肯用心，實在應該感到慚愧。

現代影視傳播發達，一般人從小就活在電視或流行曲文化中，未上學之前就心已浮濫，誠難教諭化導。古人言：士大夫教誡子弟，是第一緊要事。子弟不成人，富貴適以益其惡。一般家庭都有電視，都少有書庫書櫃，父母愛看電視，小孩也就被養成看電視的習慣。人心因此漸漸外化浮躁，沈著深思之定力就之任其退化消失。國人的文化內涵與人文素養是一年不如一年了。這真是民族興亡的潛在危機。

這段

經文是說古人雖然身體勞苦，卻能卓然自立，值得我們效法。

如負薪

如掛角

身雖勞

猶苦卓

漢朝的朱買臣，靠著上山砍柴維持生活。他砍柴的時候，把書放在樹下讀，擔柴回家的時候，則把書懸在擔頭上，一面讀誦著回家。

他的妻子崔氏受不了貧苦的生活，想要改嫁，買臣勸他說：「我五十歲的時候，就可以顯達了，你暫且忍耐不要煩惱。」崔氏不聽，竟然自己再嫁了。

崔氏改嫁後不到五年，買臣在漢武帝朝中作了官，擔任會稽太守，上任時穿著官服，僕從前呼後擁，車馬

紛紛。當他回家祭祖時，經過崔氏旁邊，崔氏看見了，想要與買臣破鏡重圓，買臣就對她說：「我當初勸你不要改嫁，你再三不從，如今看見我榮耀了，卻想再認我為夫。你去拿一盆水來，倒在馬前，若你可能，羞愧得撞死在馬前，買臣將崔氏埋可能，我就收你為妻。」崔氏自知不可能，羞愧得撞死在馬前，買臣將崔氏埋在池邊，在墓前題上「羞墓」二字。

隋朝的李密，替人放牛，一心好學，常常在乘牛時讀漢書，將書本掛在牛角上，楊越公看見了，很稱讚他。後來李密跟著楊越公辦事，他曾作一篇檄文，訴說隋煬帝十大罪狀，激起國人對煬帝的憤慨。朱買臣和李密二人，一個打柴一個放牛，都是從事勞苦的工作的人，卻能卓然自立，不忘讀書。我們有好的讀書環境，父母又全力支持，怎能不更加用功呢？

這段

經文是鼓勵我們要早點立志求學。

蘇老泉到了二十七歲，才開始發憤讀書，他年紀大了，才後悔自己學得太晚，你們這些小孩子，應該早點用功讀書才對。

蘇洵字明允號老泉，他生有兩個兒子：蘇軾、蘇轍，他們三個人的文章、學問都很好，被後人稱為三蘇，也是唐宋八大家之三。他們洵的成功絕非偶然，主要在蘇洵的一念覺悟，發憤用功，才有這樣的成果。

蘇老泉	二十七
始發憤	讀書籍
彼既老	猶悔遲
爾小生	宜早思

蘇洵幼年時，長大後認識不了幾個字。到了二十七歲，他不喜歡讀書，

的哥哥中了科舉作了官，蘇洵才覺得自己也應該努力才對，於是在家專心一意的讀書。一年以後，他參加考試，不幸名落孫

山。他想一定是自己準備不周到，於是把一年多來寫的文章全部燒掉，從此閉門讀書，不再提筆寫文章，過了五、六年，他充實了很多學問。於是再提筆作文，頃刻間就寫出數千字的文章，見解又非常獨到。

所以我們應該從現在起就努力求學，若等到年紀大，可就後悔莫及了。何況學問乃是隨身寶，有一首詩說：「讀的書多勝大丘，不須耕種自然收，東家有酒東家醉，到處逢人到處留，日裡不怕人來借，晚間不怕賊來偷，蟲蝗水旱無傷損，快活風流到白頭。」你看讀書有多好，現在開始就好好求學吧！

蘇洵因為老來才求學，深知其苦，因此對兩個兒子，從小就嚴格的督促。學成之後，就帶著兩個兒子到京師考試，三人都考中進士，成為翰林學士。歐陽修很欣賞他的才華，將他的文章獻給宰相韓琦看。從此蘇洵的文章名聞天下，人人爭讀，並且學習他寫作的方法。

蘇洵二十七歲才發憤讀書，成為一個有學問的人，但他仍然覺得學得太晚了。

這段

經文是說一個人肯立志苦讀，總會功成名就的，或許年輕時沒什麼表現，但只要堅持到底，終有成功的一天。

宋朝的梁灝八十二歲的時候才考中狀元，在殿上答覆皇帝的問題時，對答如流，成為所有讀書人的魁首。

他這麼一大把年紀了，仍然完成自己的志向，讓大家都覺得很驚訝。你們這些後輩讀書人，也應該早點立下志願向他看齊才對。

梁灝從小就喜歡讀書，青年時就中了解元。他教子成功，兒子中了狀元，可說

若梁灝　八十二

對大廷　魁多士

彼既成　眾稱異

爾小生　宜立志

是一門五福。

梁灝生於五代後晉時。他從天福三年開始參加考試，經歷後漢、後周，他發誓：不中狀元，誓不甘心。

到了八十二歲，宋真宗雍熙二年，才中狀元，在金鑾殿上與真宗對答問題時，他頭角崢嶸，獨占鰲頭，是所有應試者的第一名，他頭器宇軒昂，真是表現得太好了。

你們這些年輕的讀書人，應該效法他到老不倦的精神，拿他作榜樣，不要懈怠自己的志氣。

梁灝中狀元後很高興，作了一首謝恩詩，內容是說：我自天福三年就參加考試，直到雍熙二年才成名，管他頭髮都白了，我心中只歡喜終於平步青雲。當我看榜的時候，已經沒有跟我同輩的朋友了，回到家中也只有子孫來相迎。大家都知道，年少登科很好，有誰想到龍頭竟是我這個老頭？

由此可知，一旦立下志願，而且努力不懈，終會成功的。梁灝表現了「活到老，學到老」的精神，他這種毅力，真值得我們年輕小子學習。

祖瑩

八歲就會吟詩，李泌七歲就能以「下棋」為題作一首詩，他們兩個人的聰明，令人稱奇，你們這些剛求學的小孩子，也應當效法他們，努力用功。

北齊的祖瑩很小就能背誦詩經和尚書，十二歲入太學讀書，因為他學問夠，被老師選為「講生徒」，為其他學生講授尚書。

他有這樣的表現，不是偶然得來的。他每天從早到晚手不釋卷，當時人稱他為小聖童。他的父母怕他用心太過，把燈偷偷藏起來，以

> 瑩八歲　能詠詩
> 泌七歲　能賦棋
> 波穎悟　人稱奇
> 爾幼學　當效之

免他夜讀，但好學的祖瑩等父母入睡後，就拿出自己私藏的火種點火讀書，並且用棉被、衣服把窗戶掩住，以免光線外洩，被家人發現。

有一次，因為太累，不知不覺睡過了頭，醒來後急忙趕到學校，正好輪到他講尚書。他因為匆忙間拿錯了書，只好憑記憶，不慌不忙的連背三篇，而且一個字也不差，老師和同

學發現後，都大吃一驚。

由於他的聰明與用功，後來做到秘書監著作郎的職位。

另外唐朝的李泌小時候也很聰明。

有一次，唐玄宗問一位神童員半千：「還有像你這樣聰明的人嗎？」員半千說：「舅舅的兒子李泌才七歲，比我還聰明呢！」唐玄宗很好奇想見見他。

當李泌見唐玄宗時，玄宗正和丞相張說下棋，玄宗就命張說出題考他，張說就要他以方、圓、動、靜四字作一首詩，但不准說到「棋」字，李泌拿下棋為題目，馬上應聲說：「方如行義，圓如運智，動請他再說清楚，張說就說：「方若棋局，圓若棋子，動若棋生，靜若棋死。」李泌字作一首詩，但不准說到「棋」字，李泌馬上應聲說：

如逞材，靜如得意。」

玄宗聽了很高興也很驚奇，馬上賜他紫衣並給他官作。張說馬上恭賀玄宗又得了一名神童。後來李泌作了明宗、肅宗、代宗、德宗四朝的宰相，成為國家重臣。

像祖瑩、李泌二人，他們的聰明令人欣羨，你們這些幼學之人，趁現在年少，正好用心讀書，效法前人，殷勤發憤求學，自然能夠下學而上達。

一個人再怎麼聰明，還是要用功求學，否則只會落個「小時了了，大未必佳」的笑柄罷了。

東漢

末年的蔡文姬能辨識琴聲的好壞；晉朝的謝道韞則能出口成詩。他們雖是女子，天資卻如此聰敏，你們這些男孩子，應當自我警惕，好好努力才對！

蔡文姬是名學者蔡邕的女兒，是位才女。

漢末董卓弄權，王允詐用皇帝的詔書，把他殺了，將屍體丟棄在街上。這時蔡邕在家中彈琴，看見貓捉老鼠，文姬聽出琴聲焦急又帶殺氣，知道將有大難來臨。

後來蔡邕聽說董卓被殺，因感念董卓

蔡文姬　能辨琴

謝道韞　能咏吟

彼女子　且聰敏

爾男子　當自警

平日對他的情誼，竟跑去伏屍痛哭，因此獲罪被殺，而文姬則被流放到匈奴去。

他在胡地，心中無限悲苦，因此以琴音作一首胡笳十八拍的曲子，流傳到中國，曲調幽怨哀傷。

後來曹操知道他是故人之子，派人以千金贖回來，嫁給讀書人范士坦，夫妻都得善終。

謝道韞是晉朝名宰相謝安的侄女，心性最是聰慧，且喜歡讀書，幼年就會詠詩對句了。

有一天，廣院中下著大雪，謝安就問侄子們說：「大雪紛紛像什麼呢？」謝道韞的哥哥謝朗搶著說：「撒鹽空中差可擬。」（把鹽撒在空中，差不多可以比擬下雪了），謝道韞接著說：「未若柳絮因風起。」（比不上柳絮因風一吹而飛起來的樣子），謝安聽了拍案叫絕。

謝道韞後來嫁給王羲之的兒子王凝之，丈夫死後，他守著貞節，名著一時。

中國古代重男輕女，女子要讀書學藝非常困難，但蔡文姬和謝道韞雖為女子，但才氣高

超、文思靈敏，一點也不輸男孩子，你們這些男孩子應該急起直追才是。

唐朝

書，被唐明皇稱為神童，而且的劉晏，才七歲就已經飽讀詩

相當於現在國立編繹館館長的職位，他以如此稚幼的年紀，卻能勝任這種高職，真不簡單

作了刊正文字的正字官。他雖然年紀小，卻已經為國家效力。一個人如果肯努力向上，有所作為，也一定能跟他一樣的。

有一次唐玄宗祭拜天地時，劉晏獻上「東封頌」這篇文章，玄宗很讚賞，因此召見他，一見才知是個七歲孩童，因此懷疑文章是抄來的，於是命丞相張說考考他。考完後，張說對玄宗說，劉晏真是個不平凡的神童。玄宗於是授劉晏作正字官，

唐劉晏　方七歲

舉神童　作正字

彼雖幼　身已仕

爾幼學　勉而致

有為者　亦若是

。

有一天玄宗召見他，楊貴妃看他這麼聰明伶俐，很喜歡他，就叫他坐在膝蓋上，還親自為他梳髮，結雙髻。正好玄宗看見了，趁機逗逗他，就問說：「卿為正字官，到底正得幾個字呢？」劉晏馬上跪在地上說：「臣啟奏陛下，五經四書之內，每一個字我都能正，只有一個「朋」字，我還不能正。」

原來當時的讒臣，都極力尋求皇上的寵倖，於是朋比為奸，結黨營私。玄宗聽了他的話，覺得這個孩子很不平凡，能夠時時心存君國，因此更加重用他。由此可見劉晏不但聰明穎悟，他崇尚正直、抑黜邪惡之心，更令人讚佩。後來劉晏在明宗

、肅宗、代宗、德宗四朝都貴為宰相。

劉晏年紀這麼小，就已經出來作官，從事治國安民的大事，你們這些幼學之人，正該勉力造就自己。舜是人，我也是人，只要肯效法他，有所作為，也能和他一樣成聖成賢。

犬

犬守夜　雞司晨
苟不學　曷為人
蠶吐絲　蜂釀蜜
人不學　不如物

犬會守夜防盜；雞會晨啼報曉，如果我們不求學，沒有才能，怎麼能算是一個有用的人呢？

蠶會吐絲，蜂也會釀蜜，一個人如果不求學，就比不上這些小動物了。

在這段經文之前，由孔子到劉晏，都是介紹古代的聖人或賢人，學者或許會覺得像他們那樣，實在是太高太遠了，難以效法，那麼這裡就舉動物來說吧！

犬和雞都是家裡所飼養的家畜，犬有守夜的功能，使偷盜宵小不敢來犯。而雞報曉的啼聲，使人們知道天快亮了，不能再偷懶而快快起床工作。

犬和雞雖只是動物而已，但牠們對人類尚且有貢獻，一個活在世上，若只是苟且度日，從不想好好求學，以期有朝一日能顯榮父母，那麼就

連雞犬也不如了，怎麼能算是人呢？人們養蠶，蠶和蜂都是很低微的昆蟲。

蠶能吐絲結繭，將來抽絲剝繭可以織成衣服。而人們養蜂，蜂能夠採花釀蜜，供人類食用。他們的驅體雖小，可是功用卻這麼大。你們這些孩子，如果不求學，荒廢了功課，可就連昆蟲也不如了。

我們常說：「天生我材必有用」，任何人對這個世界而言都是有用處的，一部大機器也少不了小小的螺絲釘，所以千萬不要輕賤自己，以為自己一無所用。但是要成為有用之才，卻必須求學，學得一項專長、技能，才能夠貢獻國家社會。

同時更要學修身、齊家、治國、平天下的道理，進可以從政利民，退也可以安身自守，做個良民，不擾亂社會，這都是我們所要學的範圍。

幼小

的時候就要好好求學，等到長大了，再把所學實行出來，向

上輔助君主治理國家，向下為人民謀福利，這樣就會得到好的名聲，榮耀父母，同時也光耀了祖先，庇蔭了子孫。

人在幼年的時候，學習聖賢的書，修身養性，求取為人處事的方法，等到壯年的時候，就要把所學全部實行出來，如果只是學而不行，那又何必學呢？

要怎樣行呢？一個讀書人，如果有機會從政，實踐理想，向上就要好好輔佐君主，使他成為像堯舜一樣的仁君。向下就

幼而學　壯而行

上致君　下澤民

揚名聲　顯父母

光於前　裕於後

要實行便民政策，為百姓謀幸福，更要教育人民，使他們像堯舜時代的人一樣厚道善良。也就是說如果沒有機緣從政，就要好好修養自己，若顯達為官，則要有安天下的志向，如此做去，必能名留青史，才不愧是一個堂堂正正的男子漢。一個人如果能幼學壯行，致君澤民，不論是盡忠盡孝，百世流芳，或者是為官公正、廉明，被當時人所稱頌，他的功績都能顯揚於世，使父母獲得無比的榮耀，也光耀了祖先，垂裕了後代，這都是讀書的大功效。

讀書的真正目的不外修身、齊家、治國、平天下。但大目標則在治國、平天下。古來一些奸臣佞小，如秦檜、曹操之流，雖飽讀詩書，而不在求取名利權位之上。

，但心術不正，走偏了方向，以致禍國殃民，本身及子孫都遭了惡報，那還談得上光前裕後？這就是讀書聖賢書，不行聖賢事的結果，所以小朋友初學時，立定正確的人生目標是非常重要的。

人們

人們，遺留給子孫的是一整箱的金子，但我只教孩子讀經書。

法，只有一冊三字經而已。

因為黃金屋以及千鍾粟，都是書中自然有的東西，只要讀經，不必堆金而金自至；不必積玉而玉自來。現在人不以經書來教孩子，以致於後代子孫因為財多而招來災禍，實在令人慨嘆。

「人遺子，金滿籯，我教子，惟一經。」這是總結前文，說明以經書教子的好處。世人為子孫打算，留給他一箱箱的金銀，那裡知道，金銀只是死寶。如果子孫賢能，又何必積金給他；如果子孫不肖，縱使家財豪富，也是枉然。

作者王應麟先生則不然，他教子的方法，只有一冊三字經而已。

勤勞就有功效，嬉戲是沒有益處的，應該警惕自己勤勉用功啊！

人遺子　金滿籯

我教子　惟一經

勤有功　嬉無益

戒之哉　宜勉力

漢朝時的韋賢和他的兒子元成，兩人對經書都很有研究，後來都做到宰相。當時的人稱讚他們而流傳出「遺子黃金滿籯，不如教子一經」這句話，可見作者勸人讀經，不是沒有根據的。

最後是總戒：「凡是讀書人，勤懇向學，則日日有進步，如果怠惰嬉戲，不但沒有益處而且有損。

這一本三字經既簡單又容易明白，歷代帝王，古聖先賢都有記載，所以用功一分，就有一分的功效，大家要勵志求學，成為大儒，千萬不要坐耗歲月，蹉跎光陰，那就太

可惜了。

新訂版本
補充說明

三字經自宋朝以來，已經被增修多次，大體不變，僅以詳加明清二代史而略有不同

清世祖　膺景命　靖四方　克大定

清世祖福臨於太宗崇德八年（一六四三）以六歲沖齡上應天命，入繼大統。并在睿親王多爾袞的輔助下配合吳三桂的引清兵入關，順利定鼎北京。隨後更綏靖四方，結南明三王的入主中原，的反抗勢力，真正完成統一中國的帝業。

清朝的先世本是女真人，乃吾國東胡之支裔，古時稱為肅慎，常來朝貢。漢以後改稱挹婁、沃且、勿吉、鞈鞨，至唐代纔稱女真。宋徽宗時，女真曾建國號曰金，興盛一時，後為蒙古所滅。明朝本視女真為「邊夷」，待其素厚，而女真本來亦很恭順「天朝」。然而由於明中葉之後皇帝昏聵，閹臣弄權，導致國不成國，民不聊生。當此之時，建州女真部酋長努爾哈赤（即後來的清太祖）以祖父（清景祖覺昌安）、父親（清顯祖塔克世）

被明軍冤殺，順勢率領父祖遺留的十三副鎧甲起兵。先於萬曆十七年（一五八九）統一建洲各部，並隨後逐漸統一女真大部（僅剩葉赫未統一），於萬曆四十四年（一六一六）建立後金政權，改元天命，正式宣告脫離明朝的統治，成為獨立政權。

至於何以稱世祖的登基是上膺景命（一六一六）呢？理由是順治之所以能完成其祖父努爾哈赤與父親皇太極這兩位滿族英雄所無法一圓的大夢──入主中原，取明朝而代之──只能說是幸運之神的特別眷顧。因為照理說，明朝末年雖是國勢日下，然百足之蟲，死而不僵，以滿州不過十餘萬人的小國，如何能夠吞食的下中國？事實是天災人禍毀滅了大明政

權。因為首先，明朝是滅於闖王李自成之手而非清朝所為。此外，清兵的得以入關（山海關），更是拾得的現成便宜。因為當初李自成攻入北京後，原本已經招降吳三桂。後來吳三桂為了其愛妻陳圓圓被擄，憤而向清國借兵，就這樣引狼入室，斷送了漢人江山。由此觀之，能不說是上膺景命嗎？

滿清

在入主中原後，歷經聖祖康熙的平三藩收台灣，世宗雍正的勵精圖治，以及高宗乾隆的文治武功下，雖歷經乾隆晚年國勢的由盛轉衰與嘉慶的守成無為，然而整體而言，當時人民可說是安居樂業，生活富裕。

康雍乾治積史稱康雍乾盛世，此百餘年太平治世亦堪稱吾國歷代所未有

。

清聖祖愛新覺羅玄燁可說是中國歷史上少見的聖明天子。其才幹、學識、文治武功皆不亞於漢武帝、唐太宗。其

由康雍
歷乾嘉
民安富
治積誇

以八歲入繼大統，雖有順治遺命索尼、蘇克薩哈、遏必隆、鰲拜四大臣輔政，然當中鰲拜勢力凌駕其他三人，把持朝政，尤其專橫。當此險惡的政治環境，康熙在祖母孝莊太皇太后的教養下，屢屢化險為夷，在十六歲計取權臣鰲拜，並收回上三旗（正黃，鑲黃，正白）兵權，真正將滿清軍政大權收於皇帝一手。試問，如此幼齡即展露頭角的康熙，其後來能有那樣輝煌的文治武功，乃至被史家譽為「康熙大帝」，亦是在預料之中，歷數其

在位六十一年的政績，平三藩、收台灣、獎文學、編圖書、勤吏治、懲貪污、治黃河、免賦稅應該都是時人耳熟能詳的。

雖然康熙政績如此出色，其晚年卻有一件極不如意的事情，即太子胤礽的廢立一事。由於康熙兒子眾多，太子胤礽為扶不起的阿斗，以致諸子在康熙晚年各數黨羽，希冀儲位。導致康熙晚年為此多所煩憂，無力再於吏治更上層樓。而康熙晚年最為人詬病的寬縱吏治的毛病也因此一直要到世宗雍正繼位後，才得以改善。關於雍正皇帝如何得位，歷來史家眾說紛紜，其中尤以認為雍正謀同隆科多竄改遺詔「傳位十四皇子」，將「十」字改為「于」字，使得遺詔內容變成「傳位于四皇子」

故得以繼位一說流行最廣。然而若根據民國史家孟心史先生的考證，則此一說法純為臆說不足採信。平心而論，雍正在位十三年期間，對於滿清吏治的整頓尤其有所建樹，其創立的「養廉銀」制度即在矯正康熙晚年吏治的弛弊。此外，雍正對於滿清財政的整頓亦是如火如荼的展開，攤丁入畝，火耗歸公是一系列新政中尤其著名者。此外雍正在位的勤於政事，真可謂做到了宵衣旰食，日不暇給的地步，若用「勤政愛民」來形容雍正，我想應該亦是合適的。只不過由於雍正對於兄弟的殺戮以及文字獄手段的兇殘確實有慚於德，也難怪稗官野史之流在小說戲曲故事中，常將其數落至非常的不堪。

清朝

（傳至道光（宣宗）咸豐（文宗）年間，時局大變，內亂外患，以致晚年寵任大貪官何珅於中道，實則好大喜功，色屬內荏

道咸間　變亂起　始英法　擾都鄙

清朝國勢在康雍的奠定下確實維持好長一段時間。而乾隆在位的前半時間確也不負其祖父的厚望，十足為一勤政愛民的好皇帝。然而乾隆行事雖貌似遵

下確實維持好長一段時間。而乾隆在位的前半時間確也不負其祖父的厚望，十足為一勤政愛民的好皇帝。然而乾隆行事雖貌似遵

紛至沓來。像是英法勢力的逐漸侵逼而有鴉片戰爭英法聯軍的侵擾吾國都城（北京）邊境（廣州）即是最著名的例子。

，吏治民風為之大壞。此外乾隆所沾沾自喜的「十全武功」其實亦是三朝累積的事業。

倒是乾隆為了完成其「十全老人」的封號，無端輕起邊事，費耗兵餉不知凡幾。

所謂的「十全武功」，以降緬甸，安南，廓爾喀三事為例，無邊開啟戰端不說，最可笑的是，打了敗仗，還要用錢粉飾太平，自誇為武功盛事。就因為為了滿足「十全老人」的虛榮心，大清帝國的國勢就在此時由盛極開始趨向敗亡了。

乾隆之後，嘉慶與道光皆為平庸之主，然而不同的是，清朝傳至道光之後，皇帝所必須面對的，除了沈痾異常的吏治民生外，伴隨民族意識覺醒而來的變亂是一波比一波強（其中以太平天國亂事為時最久，影響亦最為深遠）。此外，西方列強船尖砲利的壓力更是如排山倒海，欲將滿

清王朝活活吞噬。當時洪秀全發起的太平天國之亂，前後遍擾中國十六省歷時十四年，其對於千瘡百孔的末日帝國著實無異一響喪鐘。而英法聯軍之役，咸豐的棄國家人民不顧倉皇出走熱河，亦已揭示著大清帝國之國祚不永了。

同治（穆宗）光緒

（德宗）之後，清朝國勢日非，傳至廢帝宣統年間更是積弱至瀕臨亡國。清朝在世

祖福臨入關定鼎中原後，共傳康熙、雍正、乾隆、嘉慶、道光、咸豐、同治、光緒、宣統九位皇帝，而在宣統三年（一九一一）宣告滿清王朝正式歿亡。

說起滿清末年西方列強對中國的欺凌，自然不能不提及對中英兩國皆非常不名譽的中英鴉片戰爭。為什麼會用「不名譽」來形容此一歷史事件呢？因為此一戰爭的發生原因竟然是因為中國不准英國在中國販售毒品——

鴉片所引發的戰事伊始，當時雖有名臣林則徐主張「以守為戰」，然而由於道光的懦弱昏聵，終至清廷對英國俯首認輸，簽下喪權辱國的「不平等條約」：中英

同光後

宣統弱

傳九帝

滿清歿

南京條約。條約中極其不合理，試問：以今日觀之，清廷之開廣州、福州、廈門、寧波、上海五口通商（供英國人在中國販售鴉片）就好比毒販要求政府設立五個合法販售點供其販毒。至於其它像是割讓香港，負責英軍軍費等等，都是今日我們無法想像的。而事實上，中英鴉片戰爭不過是中國近代屈辱史的序幕罷了。之後列強更加快了對中國鯨吞蠶食的腳步，一頁頁沈重的屈辱史正一幕幕輪番上演：第二次英法聯軍，咸豐出走熱河，割九龍與英國，圓明園首度遭焚燬，賠款八百萬兩；中日甲午戰爭，割讓台灣、澎湖、遼東半島，賠款二萬萬兩；八國聯軍，北京再度棄守，圓明園二度遭劫，賠款四億五○○○萬兩。由此觀之，滿清已是病入膏肓，當時唯有藉革命來推翻滿清，中國方有得救的一日。國父孫中山先生正是在這樣一個歷史氛圍下，毅然投入革命大業的。

在國父領導的革命下，成功的推翻滿清政府，廢除掉數千年的皇帝制度。並建立中華民國政府，修訂中華民族歷史上第一部的憲法。

滿清末年，許多憂國憂民的知識份子，在面對這樣一個內憂外患頻仍的政治局勢時（外有列強欺凌，內有太平天國，捻亂，回變），本來尚且將希望繫之於以光緒皇帝為主的一系列維新運動，希望滿清政府能學習日本明治維新的精神，藉由溫和的改革手段將中國重新改造。然而戊戌變法的失敗（一八九八）與八國聯軍的欺凌，在在都令有識之士覺悟到，唯有訴之武力的革命運動，推翻滿清政府才是救亡圖存的唯一辦法。當此之時，誕生於廣東省香山縣的國父孫中山先生（一八六六—一九二五）正好被捲入這樣一股時代的浪潮中，毅然決然的投入推翻滿清的革命運動。而在歷經興中會、同盟會的九次革命失敗後，國父終於在宣統三年（一九一一）配合革命志士宋教仁，譚人鳳，孫武等人在長江中游發動武昌起義，並順利的將滿清政府的推翻，廢除數千年

革命興
廢帝制
立憲法
建民國

不平等的皇帝制度，建立以人民為主人的中華民國政府。

關於制立憲法一事，其實過程諸多阻擾與波折。簡單來說，民國創建之初，只曾經在民國二年（一九一三）由國民黨與進步黨合作下擬定出了憲法草案一一三條。然而由於北洋軍閥袁世凱的作梗，此部憲法草案終被擱置。

中華民國第一部真正完整的憲法一直要到民國三十五年十二月二十五日在國民政府於南京舉行的制憲國民大會三讀後完成，隔年一月一日明令公佈施行之。

和裕佛學淺說系列叢書

A003　　25 開本

佛化弟子的故事

每本定價 100 元
一次訂購 100 本以上
特惠每本 50 元

A002　　25 開本

佛的本身故事

每本定價 100 元
一次訂購 100 本以上
特惠每本 50 元

A001　　25 開本

佛學淺說及佛的故事

每本定價 100 元
一次訂購 100 本以上
特惠每本 50 元

A006　　16 開本

法句譬喻經今譯淺說

每本定價 150 元
一次訂購 50 本以上
特惠每本 80 元

A005　　16 開本

妙法蓮華經
觀世音菩薩普門品

每本定價 150 元
一次訂購 50 本以上
特惠每本 80 元

A004　　16 開本

地藏菩薩本願經淺譯

每本定價 150 元
一次訂購 50 本以上
特惠每本 80 元

A009　　25 開本

繪圖孝淫果報錄

每本定價 100 元
一次訂購 100 本以上
特惠每本 50 元

A008　　16 開本

佛說阿彌陀經淺譯

每本定價 200 元
一次訂購 50 本以上
特惠每本 100 元

A007　　16 開本

藥師琉璃光如來
本願功德經淺譯

每本定價 150 元
一次訂購 50 本以上
特惠每本 80 元

和裕佛學淺說系列叢書

A012.A012-1 *16* 開精裝本

佛教聖眾因緣集暨錄音帶

◎書本每本定價 200 元
一次訂購 50 本以上特惠每本 100 元
◎錄音帶一套四卷定價 300 元
一次訂購 10 套以上特惠每套 200 元

A011 　　*25* 開本

惜字的故事

每本定價 100 元
一次訂購 100 本以上
特惠每本 50 元

A010 　　*16* 開本

護生的故事
蓮池大師放生文圖解

每本定價 150 元
一次訂購 50 本以上
特惠每本 80 元

A015 　　特 *16* 開本

孝悌百喻故事

每本定價 150 元
一次訂購 50 本以上
特惠每本 80 元

A014 　　*16* 開本

尚未出版

善財童子五十三參
上、中、下冊

每本定價 200 元
一次訂購 50 本以上
特惠每本 100 元

A013 　　*16* 開本

尚未出版

歷代高僧居士的故事
上、下冊

每本定價 200 元
一次訂購 50 本以上
特惠每本 100 元

A018 　　*16* 開本

佛陀的故事彩色畫傳

每本定價 200 元
一次訂購 50 本以上
特惠每本 100 元

A017 　　*25* 開本

關懷心・動物情

每本定價 100 元
一次訂購 100 本以上
特惠每本 50 元

A016 　　*16* 開本

六祖大師惠能的故事

每本定價 200 元
一次訂購 50 本以上
特惠每本 100 元

和裕佛學淺說系列叢書

劃撥帳號：30073941　　戶名：和裕出版社

A021　　16開本

玄奘大師的故事

每本定價 240 元
一次訂購 50 本以上
特惠每本 120 元

A020　　25開本

談因說果選集

每本定價 100 元
一次訂購 100 本以上
特惠每本 50 元

A019　　25開本

尚未出版

寓言世紀夢公園

每本定價 150 元
一次訂購 50 本以上
特惠每本 80 元

A024　　16開本

學佛因緣摘要續篇

每本定價 150 元
一次訂購 50 本以上
特惠每本 80 元

A023　　16開本

神通與業報

每本定價 240 元
一次訂購 50 本以上
特惠每本 120 元

A022　　16開本

學佛因緣摘要

每本定價 150 元
一次訂購 50 本以上
特惠每本 80 元

32開本

強力推薦

三月即將出版

【弟子規・孝經】

本書定價四〇〇元
訂購百本以上每本二〇〇元

A025　　25開本

佛陀遊化故事

每本定價 100 元
一次訂購 100 本以上
特惠每本 50 元

能仁育德系列叢書 ★即將出版

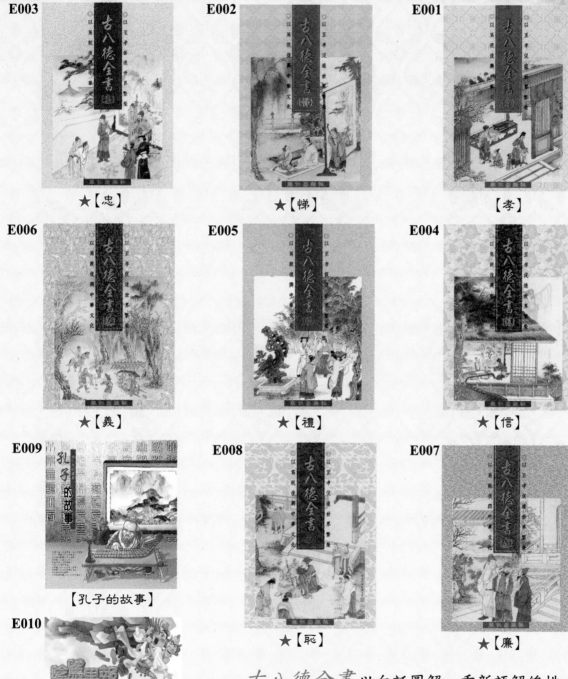

E003 ★【忠】

E002 ★【悌】

E001 【孝】

E006 ★【義】

E005 ★【禮】

E004 ★【信】

E009 【孔子的故事】

E008 ★【恥】

E007 ★【廉】

E010 【陰騭果報的故事】

古八德全書 以白話圖解，重新語解編排，其以雅俗共賞，老少咸宜。此善世奇書若能廣傳於世，人人熟讀遵行，世道民心之提昇，則指日可待也。

以上書籍皆為平裝十六開本
每本定價 150 元，50 本以上每本 80 元

熊仁紮根教育系列叢書

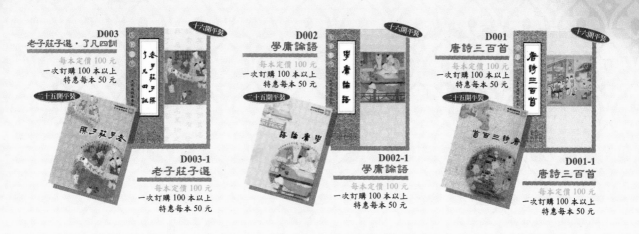

D003
老子莊子選·了凡四訓
每本定價 100 元
一次訂購 100 本以上
特惠每本 50 元

十六開平裝
十五開平裝

D003-1
老子莊子選
每本定價 100 元
一次訂購 100 本以上
特惠每本 50 元

D002
學庸論語
每本定價 100 元
一次訂購 100 本以上
特惠每本 50 元

十六開平裝
十五開平裝

D002-1
學庸論語
每本定價 100 元
一次訂購 100 本以上
特惠每本 50 元

D001
唐詩三百首
每本定價 100 元
一次訂購 100 本以上
特惠每本 50 元

十六開平裝
二十五開平裝

D001-1
唐詩三百首
每本定價 100 元
一次訂購 100 本以上
特惠每本 50 元

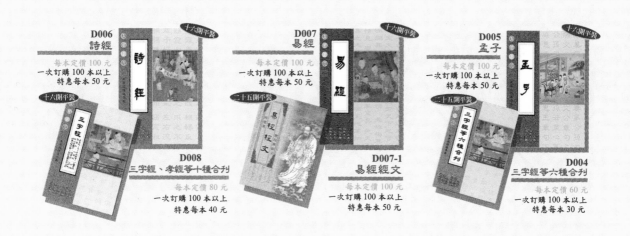

D006
詩經
每本定價 100 元
一次訂購 100 本以上
特惠每本 50 元

十六開平裝
十六開平裝

D008
三字經、孝經等十種合刊
每本定價 80 元
一次訂購 100 本以上
特惠每本 40 元

D007
易經
每本定價 100 元
一次訂購 100 本以上
特惠每本 50 元

十六開平裝
二十五開平裝

D007-1
易經經文
每本定價 100 元
一次訂購 100 本以上
特惠每本 50 元

D005
孟子
每本定價 100 元
一次訂購 100 本以上
特惠每本 50 元

十六開平裝
二十五開平裝

D004
三字經等六種合刊
每本定價 60 元
一次訂購 100 本以上
特惠每本 30 元

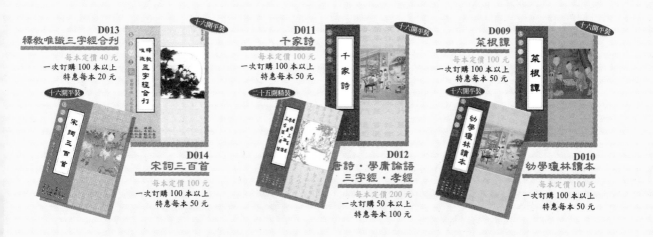

D013
釋教唯識三字經合刊
每本定價 40 元
一次訂購 100 本以上
特惠每本 20 元

十六開平裝
十六開平裝

D014
宋詞三百首
每本定價 100 元
一次訂購 100 本以上
特惠每本 50 元

D011
千家詩
每本定價 100 元
一次訂購 100 本以上
特惠每本 50 元

十六開平裝
二十五開精裝

D012
唐詩·學庸論語
三字經·孝經
每本定價 200 元
一次訂購 50 本以上
特惠每本 100 元

D009
菜根譚
每本定價 100 元
一次訂購 100 本以上
特惠每本 50 元

十六開平裝
十六開平裝

D010
幼學瓊林讀本
每本定價 100 元
一次訂購 100 本以上
特惠每本 50 元

能仁紮根教育系列叢書

D017
古八德全書
十六開精裝
每本定價 500 元

二十五開平裝
孔子集語
D018
孔子集語
每本定價 100 元
一次訂購 100 本以上
特惠每本 50 元

D017
醒世千家詩
十六開平裝
每本定價 100 元
一次訂購 100 本以上
特惠每本 50 元

三十二開平裝
D018
弟子規
每本定價 20 元
一次訂購 100 本以上
特惠每本 10 元

D015
元曲三百首
十六開平裝
每本定價 100 元
一次訂購 100 本以上
特惠每本 50 元

十六開平裝
漢魏六朝詩三百首
D016
漢魏六朝詩三百首
每本定價 100 元
一次訂購 100 本以上
特惠每本 50 元

D025
美的迴響
十六開平裝
每本定價 20 元
一次訂購 100 本以上
特惠每本 10 元

二十五開精裝
D026
青年修養錄
每本定價 300 元

D024
心情故事
十六開平裝
每本定價 20 元
一次訂購 100 本以上
特惠每本 10 元

三十二開平裝
D023
孝經
每本定價 20 元
一次訂購 100 本以上
特惠每本 12 元

D021
格言百則
二十五開平裝
每本定價 60 元
一次訂購 100 本以上
特惠每本 30 元

二十五開平裝
D022
兒童讀經教育說明手冊
每本定價 30 元
一次訂購 100 本以上
特惠每本 20 元

和裕法藏系列　新書推薦

C125

二十五開平裝
雪山上的日出
每本定價 20 元
一次訂購 100 本以上
特惠每本 10 元

C124

二十五開平裝
毛毛蟲變蝴蝶
每本定價 40 元
一次訂購 100 本以上
特惠每本 20 元

C045

二十五開平裝
生命的重建
每本定價 100 元
一次訂購 100 本以上
特惠每本 40 元

和裕生活智慧系列叢書

【明心見性】

【為什麼不問為什麼】

【優曇鉢花再現】

【打破枷鎖】

【歸途的路燈】

【撥開雲霧】

【稠林盡處】

【破　陣】

生活智慧叢書為 25 開平裝本
每本定價 100 元
一次綜合選購百本以上每本 40 元

和裕出版社
電話：(06)2454023-7
劃撥帳號：30073941
戶　名：和裕出版社

　　作者黃勝常又名黃三，祖籍湖南湘潭，一九四六年生於北平。一九六九年由台灣赴美留學，在加州約翰斯頓學院修國際關係，並擔任研究助理。次年輟學，全力投入當時如火如荼的「反戰運動」、「民權運動」和「美中人民友好運動」。

　　一九八○年從商，八年後開始接觸佛法。一九九二年初，為深入研究並弘揚佛法，成立「東山講堂」至今。著有《用心眼看世界》《用心眼看自己》《中國歷來對婦女的殘害……割肉事親》（曾譯成英文）。東山講堂如今已將【黃老師開示】整理編輯成如上列等八本書，一貫以心印心，用心攝心的啟發自覺，堪稱為一套回歸真實自我的心路叢書。

和裕福智書香樂園叢書

B003 B004 B005

【百喻經上、中、下】
每本定價 100 元
百本以上每本 40 元

B006

【了凡叔叔說故事】
每本定價 100 元
百本以上每本 40 元

B002

【父母恩重難報經】
每本定價 100 元
百本以上每本 40 元

B001

【十善法童話故事】
每本定價 100 元
百本以上每本 40 元

B007-1~6 【護生畫集】　共六集，每集定價 100 元
百本以上每本 40 元

B007

護生畫集筆椊噔

【眾生緣】
每本定價 120 元，25 開平裝本
百本以上每本 60 元

和裕保健系列叢書　強力推薦

G001 銀髮族再春（25K 精裝本）
　　李岩教授著 ‥‥‥‥‥‥ 400 元
G002 拍手功治百病(百本以上每本 30 元)
　　（25K 本） ‥‥‥‥‥‥‥ 50 元
G003 內功與靜坐秘笈(百本以上每本 40 元)
　　（25K 本） ‥‥‥‥‥‥ 100 元
G004 癌前病變（25K 精裝本）
　　李岩教授著 ‥‥‥‥‥‥ 400 元

三字經
的故事

育德系列叢書 E019

國家圖書館出版品預行編目資料

三字經的故事／（宋）王應麟經文原著；陳正雄
插畫繪圖・――初版・――臺南市：能仁，民89
　面；　公分・――（育德系列叢書；E018）
ISBN 957-0367-04-0（平裝）
1.三字經―註釋 2.中國語言―讀本

802.81　　　　　　　　　　　　　89002994

發　行　人／吳重德
出　版　者／能仁出版社
　　　　行政院新聞局出版事業登記證臺省業字第 494 號
　　　　台南市安南區 709 海佃路二段 636 巷 15 弄 3 號
　　　　電話：(06)2454023-7
　　　　傳真：(06)2566449
　　　　郵撥帳號：31344068
　　　　戶名：能仁出版社
印　刷　者／哈哈書套・春輝股份有限公司
　　　　電話：(06)2566443-4
設計製作／春輝文化

美國淨宗學會
AMITABHA BUDDHIST SOCIETY OF U.S.A.
650 S BERNARDO AVE
SUNNYVALE, CA　94087
TEL: 408-736-3386 FAX: 408-736-3389
http://www.amtb-usa.org

　　　和裕出版社　　能仁出版社　　春輝有聲出版社
　　局版台業字第三七八九號　局版台業字第四九四號　局版台普字第一五七六號

經文原著／宋朝王應麟
插畫繪圖／陳正雄
文字改編／吳重德
美術編輯／張曉玲・電腦排版／張曉玲
法律顧問／台一國際商標專利律師事務所
一版一刷／公元二〇〇〇年四月初版一刷